"Cuidado con ella"

MARCIAL LAFUENTE
ESTEFANÍA

Lady Valkyrie
Colección Oeste®

Lady Valkyrie, LLC
United States of America
Visit ladyvalkyrie.com

Published in the United States of America

Lady Valkyrie and its logo are trademarks
and/or registered trademarks of Lady Valkyrie LLC

Lady Valkyrie Colección Oeste is a trademark
and/or a registered trademark of Lady Valkyrie LLC

Lady Valkyrie LLC is the worldwide owner of this title in the Spanish
language as well as the sole owner and licensor for all other languages.
All enquiries should be sent to the Rights Department at
Lady Valkyrie LLC after visiting ladyvalkyrie.com.

First published as a Lady Valkyrie Colección Oeste novel.

Design and this Edition © 2020 Lady Valkyrie LLC

ISBN 978-1619516717

Library of Congress Cataloguing in Publication Data available

Índice por Capítulos

Capítulo 1

La dueña del saloon miraba muy sonriente al grupo de alborotadores clientes que acababan de entrar. Todos ellos vestían sus mejores galas.

Se acercó hacia el numeroso grupo y muy sonriente, les preguntó:

—Estáis todos muy contentos. ¿Qué fiesta celebráis?

—Esperamos a la patrona.

—¡Caramba! Al fin llega... Estará contento su padre.

—¡Ya lo creo! No sabía nada hasta ayer que recibió la carta, diciendo que llegaba.

—Ya no me acuerdo de los años que lleva fuera.

—Varios años. Dicen que se ha hecho una mujer preciosa.

Los vaqueros reían y bromearon con la dueña del local que era apreciada por toda la población.

En su saloon se vendía de todo brindando toda clase de facilidades a los ganaderos. Era la razón por la que todos en la ciudad la querían y visitaban su saloon más por ir a saludarla que por beber.

Sin embargo, no todos pensaban lo mismo. Especialmente Moses Green. El usurero de la ciudad... Solía prestar dinero, pero con un tanto por ciento muy alto y a cambio de recibos firmados que supusieran garantía personal y de bienes.

Lo que hacía Maud era restarle clientes.

Más de una vez había reñido con Maud cuando él entraba a beber algo.

Uno de los que escuchaban, preguntó:

—¿Qué edad tenía cuando se marchó? No me acuerdo de ella.

—No estabas aquí, todavía. Va a revolucionar a todo el equipo —añadió Maud—. Era muy traviesa de pequeña. Siempre estaba peleando como si fuese un muchacho. Nunca la vi vestida de muchacha. No se separaba de Frederic Nolan.

—¿Te refieres al hijo que tienen los Nolan?

—Sí.

—Pues no le gustará a la muchacha lo que pasa con esa familia.

—Habrá problemas, desde luego —dijo Maud—. Ya veréis cómo Eugene pregunta por Frederic nada más llegar.

—Bueno, muchachos, es hora de ir a la estación.

—Dadle recuerdos —dijo Maud—. Y que venga por aquí a verme.

Unos elegantes que había bebiendo en el mostrador dijeron a Maud:

—¿Quién es esa muchacha de la que estáis hablando?

—Es hija de Wells.

—¡Maud! —Dijo otro joven vestido con pulcritud ciudadana—. ¿Es verdad que viene Eugene?

—Han ido los muchachos a esperarla a la estación.

Entró Peter Green y saludó a los otros elegantes.

—No había dicho nada su padre de este regreso.

—Dicen que recibió ayer la carta anunciando su llegada para hoy… Tendrá disgustos con él por lo de Frederic y su familia.

—No creo que se atreva a decir nada. No es culpa nuestra que Frederic haya hecho lo que hizo por ahí.

—No creo nada de lo que decís.

—No estarás nunca de acuerdo con nada que se refiera a Frederic.

—Yo conozco a Frederic mejor que nadie. Es incapaz de hacer nada malo.

—¿Crees que si no fuera cierto no habría venido?

—Es muy posible que no sepa nada. Y el día que venga habrá sangre en abundancia.

Peter sonreía.

—No es para tanto. Ya sabes que de pequeños…

—¿Es que vas a decirme a mí lo que dices a todo el mundo…? ¿Cuántas veces te dejó sin sentido en el suelo…? Era muy noble, ya que otro, después de tus traiciones te habría aplastado la cabeza. Tú trataste de hacerlo con él pero te quitó la piedra y te castigó, pero no como merecía tu traición.

Peter estaba violento mirando a los testigos.

—¡Más vale que no aparezca por aquí! —Dijo Peter—. ¡Le colgaríamos!

—¡Pero si aquí no se dice nada en contra de él…! Eres tú y el grupo de amigos los que lo decís, pero nunca habéis traído una prueba… No tiene motivo para no venir porque no ha hecho nada —Añadió Maud.

—Se sabe de sus andanzas. De pequeño, ya era pendenciero y camorrista.

—¡No digas eso! Era un muchacho muy noble… Le has odiado siempre porque nunca pudiste con él —dijo Maud.

Peter decidió salir de allí, ya que sabía que todos creían a Maud y él había dicho en muchas ocasiones que tenía acobardado a Frederic.

Las palabras de ella descubrían a los que no estaban allí en aquella época, que había mentido.

Cuando salió iba enfadado, y Maud, sonriendo, dijo:

—¡Qué embustero! ¡No cambiará nunca! ¡Vaya un juez que hará si es que le designan para ese cargo!

—Pues es cosa casi hecha ya.

—¡Pobre ciudad! —añadió ella.

—No le apreciáis mucho, ¿verdad? —dijo uno de los elegantes.

—No he apreciado nunca a los cobardes.

—Debías decírselo a él, pero no creo que te atrevas.

Maud miró al elegante riendo y exclamó:

—¡! ¡Qué olor tenéis los dos! ¿Naipes?

—¡Escucha! —gritó uno de ellos—. No creas que te vamos a permitir que...

Varios clientes rodearon a los ventajistas. Éste se calló, asustado.

—¿Por qué no sigues hablando? —dijo uno de los clientes.

—Dejadles —añadió ella—. Deben ser peligrosos. Mirad... ¡Armas muy bajas aunque desentonen con su vestimenta de caballeros! Pero de esto, la ropa es lo único que llevan.

Los aludidos, comprendiendo que cualquier movimiento que hicieran lo interpretarían muy mal, decidieron salir.

Y una vez en la calle, exclamó uno:

—¡Se va a acordar de mí!

—Cuidado. Es una mujer muy apreciada. Sería peligroso meterse con ella.

—¡No pienso dejarle sin castigo! —añadió otro.

—Repito que mucho cuidado con ella.

—Sabré hacer las cosas.

Los vaqueros que habían ido a la estación, al llegar el tren miraban a las ventanillas esperando ver asomada a la muchacha.

Pero la viajera estaba esperando a salir, entre

todos los restantes que se apeaban en la ciudad ganadera.

Delante de ella iba un muchacho muy alto con una silla de montar sobre su cabeza para no molestar a los demás.

Los vaqueros miraban en todas direcciones.

—Creo que no ha venido —dijo uno— No se ve a ninguna mujer joven.

—Ahí está el patrón... También recorre los vagones.

Se acercó el padre de la muchacha a los vaqueros y dijo:

—No viene. Y decía que llegaba hoy.

—¡Papá! —gritó la muchacha en ese momento.

Todos corrieron a la escalera por la que estaba bajando.

Y la muchacha, en su precipitación por bajar, cayó de bruces, y gracias a que el alto vaquero la cogió en el aire, no se lastimó.

—Hay que tener un poco más de paciencia, muchacha —dijo el vaquero.

—Gracias. Si no es por ti, creo que dejo las narices en el suelo.

El padre y los vaqueros arrebataron a la muchacha de los brazos del que la había cogido.

Este, sonriendo, la miró al tiempo que se inclinaba para recoger su silla que había dejado en el suelo.

—¿Quién es ese muchacho tan alto? No le recuerdo —decía la muchacha.

—No lo sé. Tampoco le conozco yo —dijo el padre—. Será alguno de los forasteros que vienen al mercado de reses.

Eugene saludó a los vaqueros que recordaba. Miraba con atención a los desconocidos.

Los cowboys se hicieron cargo del equipaje de la muchacha.

El padre pasó un brazo por la espalda de la joven y salieron juntos.

—He traído tu cochecillo. ¿Te acordabas de él?

—Ya lo creo —dijo ella.

—¡Y vaya caballo que lleva!

—¿Y el mío?

—Lo vendimos. Se hizo viejo.

—No debiste venderle. Podía estar en el rancho hasta que muriera.

—Hay que pensar en los negocios. En casa hubiera originado gastos... Fueron treinta dólares lo que me dieron por él... Pero como te conozco y para que estés tranquila, vive con una niña que le cuida muy bien.

—Veo que no has cambiado, papá. Sigues tan egoísta como antes.

—Lo que soy es un hombre práctico. Gracias a eso has podido estar estudiando estos años. Es verdad que me han ido las cosas bastante bien.

La muchacha miraba a los que había frente a la estación.

—Veo muchos rostros nuevos.

—Es que la mayoría ha cambiado. Son ocho años, no lo olvides.

—Tienes razón.

—Ellos no conocerán en ti aquella muchacha vestida con pantalones.

Y los dos se echaron a reír.

Con gran agilidad subió la muchacha al pescante, desde donde ayudó a que su padre lo hiciera.

—Deja que conduzca yo. No creas que se me ha olvidado... He llevado coches más rápidos. Tía Harriet tiene varios en su rancho. Pasaba allí los fines de semana.

—Ya nos decía en sus cartas que eras el mejor jinete que han visto por allí.

—Bueno, es que la tía Harriet me quiere demasiado —dijo ella.

—Vamos hasta el rancho.

—¿No nos detenemos en la ciudad? Me gustaría saludar a algunos amigos. Por cierto, ¿qué hay de Frederic...? Le traigo un recuerdo. Dejó de escribirme y sin saber las causas, pero no le guardo rencor. ¿Ha crecido más?

—Verás... Frederic no está aquí... ¡Falta hace tres años!

—¿Por qué no me lo has escrito? ¿Qué pasó?

—Murió su padre. Creo que se marchó con unos parientes. Sabes que su padre quería que estudiara. Pero más tarde parece que ha elegido el mal camino.

Detuvo el caballo la muchacha tirando de la brida.

—¡Habla con claridad! No puedo creer que haya hecho algo malo.

—Pues es lo que se dice por aquí. Creo que estaba reclamado en varios estados.

—¿No ha venido Frederic para colgaros a todos por embusteros?

—¡Eugene...! Me estás insultando a mí. Yo no soy el que ha hablado de él. Lo han hecho los otros, que lo han oído lejos de aquí.

—Pero les has oído con alegría. No has estimado nunca a Frederic.

—Era el que hizo de ti una salvaje. Por eso no le estimaba.

—Era el más noble que había aquí. Me has ocultado todo esto. Pero yo sabré si es verdad. Y si no lo es, vais a temblar todos los que habéis ensuciado su nombre... ¡Este pueblo no ha cambiado! ¡No podía cambiar!

—Pero, Eugene... ¡Sigues insultando a tu padre!

—No hago más que decir la verdad. Como he hecho siempre. No comprendo que no haya venido y llenado la calle de colgaduras.

—El hecho que no haya venido, quiere decir que es verdad. Por eso no ha venido.

—No. Lo que indica es que ignora lo que se habla de él.

—Tienes un concepto de Frederic que no responde a la realidad.

—Mira, papá... Si quieres que siga aquí, es mejor

que no hables mal de él... ¡No te lo permitiré! Hasta que no le vea y me diga lo que hay de cierto en lo que hablan, no creeré a nadie... ¡Ni a ti! Así que debes ahorrarte el querer hacerme creer que no es como sé que es en realidad. ¿También mamá le odia?

—Nosotros no le odiamos... Debes comprender la verdad. No somos los que hemos inventado todo eso.

—Averiguaré quién ha sido y le castigaré. Puedes estar seguro.

E hizo caminar al caballo.

Pero a los pocos minutos decía el padre:

—¿Es que no recuerdas el camino?

—Sí... Es que voy al rancho de Frederic. Quiero ver a su madre si es que está aquí todavía. Y le diré que no es lo que dicen de él.

—Te está esperando tu madre.

—Tengo tiempo de verla. Me interesa saber qué pasa con Frederic.

—¿Es que estás loca? No me quieren en esa casa.

—¡Tendrán sus razones!

—¡Para...! ¡Vamos a casa...!

—Vamos al rancho de Frederic.

Fustigó el caballo y éste empezó a galopar haciendo que el coche se moviera mucho amenazando con saltar las ruedas en mil pedazos.

Desde la casa del rancho de Frederic, dos mujeres estaban mirando la forma de correr de ese vehículo.

Estaban más que sorprendidas, muy asustadas, porque veían que iba a volcar de un momento a otro.

Pero Eugene demostró que sabía manejar esos caballos.

Se detuvieron ante las sorprendidas mujeres.

La más joven exclamó, llena de alegría:

—¡Eugene! ¡Eugene!

La madre de la que gritaba corrió para abrazar

a la muchacha que saltó limpiamente del pescante.

Las tres mujeres se fundieron en un abrazo.

—Acabo de llegar —decía Eugene—, y al preguntar por Frederic, no sé cuántas cosas me ha dicho mi padre, pero como sé que le odiaba de antes, no he creído sus mentiras y he dirigido al coche hasta aquí. Quiero que me digáis vosotras lo que pasa.

Las dos mujeres sonreían entre sus lágrimas de emoción por ver a la querida joven.

—No se sabe quién ha dicho que Frederic es una especie de atracador, cuatrero y todo lo malo que se te ocurra... Hay un grupo que no sabe más que hablar de eso. El resto del pueblo, supongo que de tanto oírles, también se lo creen.

—¡Todo eso es falso...! Es obra de los que le odian... Lo que no comprendo es que no haya venido para colgar a media ciudad y echar el resto por cobardes. ¿Dónde está?

—No lo sabemos. Hace casi tres años que no sabemos una palabra de él. En la última carta decía que iba hacia Montana y que nos escribiría.

Y las dos mujeres se echaron a llorar.

—Puede que esté haciendo algo muy importante pero que no puede saberlo nadie. Lo que hay que hacer es averiguar quién fue el primer embustero que lanzó la historia.

Hablaron unos minutos más y dijo Eugene que volvería muy pronto.

El padre de la joven no se había movido del coche.

Las dos mujeres la saludaron hasta que se perdió de vista.

—¡No me han mirado siquiera! ¿Las has visto? ¡Me alegra lo que les pasa! No tienen ganado y lo merecen.

—¿Que no tienen ganado? ¿Por qué?

—Se les han ido muriendo. Nadie podía comprar sus reses porque tenían la pulga que transporta la llamada fiebre de Texas.

—Veo que habéis conseguido hacer las cosas mucho peor de lo que podría imaginar.

—¡No me mezcles en esto!

—Estoy muy segura que eres uno de los que se han ensañado con esas dos mujeres. ¿Cuántas reses les has robado tú? ¿Es ésa la razón de tu prosperidad?

—¡Eugene! ¡Me estás enfadando!

—Es lo mismo. ¡Seguiré diciendo lo que pienso!

—Pues procura medir tus palabras o te daré una azotaina que no olvidarás fácilmente.

Capítulo 2

—Os esperaba antes —decía la madre de Eugene, ya en el comedor.

—Es que ésta ha ido primero al rancho de los Nolan... He dicho lo que se habla de Frederic y lanzó el caballo al galope. ¡Casi nos matamos!

Eugene estaba pendiente de su madre.

—Nosotros no hemos dicho eso. Es lo que hablan en el pueblo —dijo la madre.

—Es lo que le he dicho yo.

—Sabéis que es incapaz de nada de cuanto decís que hablan. Conozco a Frederic mejor que nadie. Hemos pasado juntos diez años.

—Pero las personas cambiamos a veces, hija... —Añadió la madre.

—Frederic, no. Y he de averiguar quién ha empezado la historia.

—No tienes que meterte en nada. Sería muy

conveniente que no visitaras mucho a su familia. Nosotros estamos bien considerados y no quiero que nos juzguen mal.

Eugene miraba sorprendida a su madre, pero se contuvo.

Acababa de decidir que había que aprender a disimular y a ser astuta.

—Tu padre es un personaje en la región. Se habla de él como del próximo alcalde. No nos conviene la amistad con los Nolan. Lo que se dice de Frederic... —añadió la madre.

—Sabéis los dos que es mentira todo lo que se habla de él. Es mejor que hablemos de otras cosas —dijo, molesta.

—Pues es necesario afrontar la realidad... Vas a prometerme que no irás a ver a esas dos mujeres que nos odian. Han hablado mal de nosotros.

—No te voy a prometer nada en ese sentido, porque iré a verlas con frecuencia.

—¡No irás! ¡Nos pondrás en ridículo si lo haces! —gritó el padre.

—Debéis calmaros los dos y pensar que soy mayor de edad. ¿Os dais cuenta?

Y se levantó de la mesa para ir a la nave de los vaqueros... Estaban comiendo y se pusieron todos en pie.

—¡Debéis sentaros! —dijo.

Y examinó a los catorce que había allí.

—Echo de menos a varios —exclamó—. ¿Qué ha pasado, Tom?

El aludido respondió:

—No están aquí.

—Pero, ¿siguen de vaqueros en el rancho?

—No. Tu padre les echó.

—¿Razón?

—No hacían falta.

—¿Y todos éstos, sí? —añadió ella.

—Defendieron a los Nolan y a tus padres no les gustó que lo hicieran.

—Creo que empiezo a comprender... La

cobardía ya ha tendido su sombra sobre este rancho. ¿Qué ha pasado con los Nolan, Tom?

—Han perdido el ganado... Decían que tenía la pulga que trasmite una enfermedad y los ganaderos fueron a sacrificar todas sus reses y quemarlas más tarde.

—¿Es cierto lo de esa enfermedad?

—Dijeron que sí.

—¿Es que habían traído ganado?

—¡No! Eso es lo extraño. Tenían el mismo ganado de siempre.

—¡Eugene! —Entró gritando el padre—. ¿Qué haces aquí?

—Venía a saludar a mis viejos amigos que has despedido tú.

—No me hacían falta.

—Les echaste porque dijeron que era extraño lo de la pulga propagadora de la fiebre de Texas, cuando no habían traído ganado los Nolan, ¿verdad?

—¡Les eché porque pensé que debía hacerlo!

—¡Volverán a trabajar en este rancho! ¿Dónde están ahora, Tom?

—¡Vamos...! ¡Ya estás saliendo de aquí...! ¿Qué has dicho a Eugene, Tom? ¡Estás despedido!

—Puedes marcharte, Tom. Pero no te preocupes. Volverás a este rancho. Puedes ir al rancho de Nolan mientras tanto. Yo te pagaré —dijo la muchacha, muy tranquila.

—¡No volverá a trabajar aquí!

—Ya verás cómo lo haces.

Los vaqueros quedaron comentando el incidente.

—¡Vaya carácter que tiene la muchacha! No se ha asustado por los gritos de su padre. Pero yo no creo que volverán a trabajar aquí.

—Es posible que os engañéis. Con Eugene aquí todo será distinto. ¡Cuidado con ella!

—Has oído al patrón —dijo uno.

—También he oído a la muchacha. Y es más interesante lo que ella diga.

—Veo que el patrón tenía razón respecto a la muchacha y vosotros... La teníais muy mimada y por eso ella os tenía aquí.

Tom no añadió nada. Se marchó para preparar sus cosas.

George Wells iba diciendo a la muchacha:

—¡No vuelvas a meterte en esta vivienda ni a soliviantar a los vaqueros!

Eugene no respondió.

Sin detenerse en el comedor, donde seguía su madre sentada, se marchó a la que era su habitación pero estaba llena de trastos.

La que atendía a la casa, también era desconocida para ella.

—Diga a mis padres dónde está mi habitación. Era esta.

—No esperaban que viniera más por aquí. Creían que se quedaba con su tía, ¡como ella no tiene hijos! Hemos preparado una pequeña, pero que creo será suficiente.

Eugene estaba dispuesta a no decir nada.

En la habitación designada se cambió de ropa... Una falda pantalón, botas de montar, sombrero tejano y un «Colt» a cada lado.

Los padres, cuando la vieron vestida así, se miraron extrañados.

La muchacha fue a un cuarto que siempre sirvió para tener trastos viejos y estuvo revolviendo hasta que apareció con un látigo lleno de polvo.

—¿Qué vas a hacer? —dijo la madre.

—Voy a cabalgar. —Respondió la muchacha—. Supongo que habrá un caballo para mí, ¿no es así?

—El capataz, cuando llegue, se encargará de ello.

—Voy a ir a elegir uno. Entiendo de esas cosas. No se me ha olvidado.

—He dicho que el capataz te dará uno.

—Estáis muy nerviosos los dos. ¿No os ha gustado que venga? Pero estoy aquí.

La joven pidió, una vez fuera de la casa, que

prepararan un buen caballo para ella.

A los pocos minutos estaba cabalgando por el rancho.

Después, se dirigió a la ciudad y una vez estuvo en ella se marchó al cuartel o fuerte de los rurales. Preguntó por el capitán Richard Thorn, que al verla la abrazó.

—Recibí tu carta. Así que has llegado hoy.

—Sí. Y he de hablar contigo.

—Entra en mi despacho. Ahora te presentaré a los compañeros.

—¿Sabes algo de Frederic?

—No.

—¿Por qué dejas que hablen así de él?

—No he conseguido encontrar a uno que me diga quién ha sido el que inventó esa historia. De saberlo, estaría colgado hace tiempo.

La muchacha habló con el capitán durante mucho tiempo y después fue presentada a otros rurales.

A las tres horas de haber llegado, salió el capitán con ella.

—Voy a saludar a Maud. No quiero que se enfade conmigo. Y si sabe que estoy en la ciudad y no voy, no sé lo que me haría.

—Creo que es la única persona que defiende a Frederic con valentía.

—Ella le conoce como nosotros.

Y Eugene, sin hacer caso a los que se la quedaban mirando, llegó a la casa de Maud y entró decidida.

La dueña la conoció en cuanto apareció en la puerta.

Y con lágrimas de alegría en los ojos, corrió hacia ella. Se abrazaron las dos y se besaron con efusión.

—¡Estás formidable, Maud! ¡Te conservas preciosa!

—¡Qué guapa te has puesto! Lo que se reiría Frederic de ti.

—No me hables de éste. ¿Por qué no has matado

a media ciudad? No hay más que cobardes. ¿Quién inició esa historia?

—No se sabe. ¿Crees que de saberlo podría seguir hablando?

—Tienes razón. Le habrías matado por lo que es, un cobarde.

—Puedes estar segura. Ven, tenemos que hablar. Tienes que contarme qué has hecho por esas tierras.

Y se llevó a la joven hacia sus habitaciones particulares.

Los clientes admiraban a su paso la belleza de Eugene. Una vez en el dormitorio de Maud, dijo Eugene:

—Dime qué es lo que pasa con Frederic.

—No sé nada. Te lo aseguro. Pero no comprendo que no se haya presentado por aquí para castigar a estos cobardes.

—¿Mi familia es la culpable de esa campaña?

—No lo sé.

—Dime la verdad. He reñido con mi padre nada más llegar. Le han odiado siempre en mi casa. Y estoy segura que mi padre se alegra de lo que ha pasado a esa familia. Y eso, si no es uno de los promotores de ese crimen con el ganado que no tenía nada... Los han matado para arruinar a los Nolan. Quiero saber si mi padre ha sido uno de ellos.

—Desde luego fue uno de los que marcharon a ese rancho con un rifle en el caballo. Se formó aquí ese grupo.

—Lo suponía... No pensaba volver pero al ver lo que pasa me alegro de haber venido. Lamento no saber dónde está Frederic para que venga. Entre los dos íbamos a dar trabajo al enterrador. ¡Te lo aseguro! Pero lo haré yo sola, ya que no está él. Tuve un excelente maestro y domino el «Colt», rifle, cuchillo y látigo.

—Debes tener calma.

—¡No quiero...! ¡Odio a los cobardes, Maud! Les

odio con toda el alma.

—No vas a conseguir nada con eso. Te lo aseguro. Hay muchos cobardes que sirven a otros. Pero que serán desconocidos para ti. Y te matarán, por muy mujer que seas.

—No tengo miedo a morir, Maud... No quiero que sigan tranquilos los que han hecho tanto daño a una de las mejores familias de este condado.

—Deja que sea Frederic el que les castigue... Y lo hará en cuanto conozca los hechos. Si no ha venido, es porque lo ignora.

La muchacha se iba tranquilizando.

—¿Qué tal las autoridades?

—¿Sabes quién va a ser juez? ¡Peter!

—¡No es posible! ¡Ese cobarde...! ¿Y el sheriff, quién es?

—Una muy buena persona... No hay duda, pero le harán abandonar la placa. Peter se va a encargar de ello.

—¿Conozco al sheriff?

—Sí. Le tienen muy asustado... No es porque tenga miedo, sino porque ha estado en prisión. Le amenazan con decirlo, porque los que le eligieron lo ignoraban.

—¿Por qué estuvo en prisión?

—Por robar ganado... Iba con un cuatrero. No creo que interviniera personalmente en los robos, pero tiene miedo a que eso se conozca en la ciudad. Me lo estuvo contando una noche. Está desesperado.

—Voy a ir a verle.

—Ten cuidado, Eugene.

—El mayor peligro para mí, está en mi casa. Mis padres creen que no sé ciertas cosas. Les voy a dar un buen susto. ¡Los dos me odian, Maud!

—No es posible que digas eso de tus padres. Tu padre estaba contento con tu llegada.

—¿Es posible que también te haya engañado a ti?

Maud sonreía.

—Es lo que he oído decir... Es natural que se alegre de tu regreso... Reconozco que no le conozco mucho a pesar de los años que llevo aquí.

—No voy a intentar convencerte.

Se despidió de Maud y se dirigió a la oficina del sheriff.

La entrevista duró más de dos horas. Cuando ella salía, el de la placa se limpiaba los ojos. Pero en ellos había una firmeza que no tenía anteriormente.

La joven regresó al rancho.

Llegó cuando estaban preparados para comer.

Se sentó en silencio y los padres la miraban preocupados.

—¿Has visto a los amigos? —preguntó el padre.

—Sí. Entre ellos al capitán Thorn y a Maud. Van a averiguar quién trajo la historia de las andanzas de Frederic.

—No debes preocuparte... Si hay algo contra él que no sea justo, cuando llegue, lo arreglará.

—Celebro que coincidas conmigo, porque no tardará en estar aquí.

Palideció el padre.

—No se atreverá —dijo, nervioso.

—¿Por qué? No hay nada contra él en esta ciudad. ¿Qué hizo? ¿Lo sabéis vosotros? Creo que lleva unos años fuera de aquí.

—No creo que se atreva a venir, porque será detenido, para que dé cuenta de lo que ha hecho por ahí.

—Estoy segura de que todo es mentira, pero además son cosas que habrían sucedido lejos de Texas. Eso no interesa a las autoridades de aquí.

—Interesa a la Unión y Texas no está fuera de ella. Hablo así porque me obligas.

—No irías entre los que dispararon contra el ganado de su rancho, ¿verdad? Era una excusa para arruinar a esas dos mujeres... Pero cada uno de los que dispararon contra las reses con el pretexto de que había epidemia en ellas, tienen una bala reservada en el rifle y los «Colts» de Frederic y en los míos. Lamentaría que hubieras ido con esos cobardes. Y si fue así, cuando Frederic dispare la bala que tiene tu nombre, no me enfadaría con él. Lo tienes muy merecido.

—¿Es que crees que puedes asustar a alguien? —dijo, nervioso.

—No tienen que temer nada aquellos que no formaron parte del grupo. ¿Es que fuiste con ellos?

—¡Ese ganado era un peligro para todos nosotros!

Se levantó de la mesa y apoyando las manos en ella, exclamó:

—¡Qué cobarde eres...!

Y se marchó a dormir.

El matrimonio se miraba asustado.

—¡Cuidado con ella! ¡Es capaz de matarte! ¡Es como el abuelo! —exclamó asustada la madre.

Capítulo 3

—¡Hola, forastero! Aún es algo pronto para las fiestas, si es que vienes a ellas. ¡Vaya si has crecido! —decía Maud, sonriendo.

—Venía creyendo que estaba aquí una muchacha muy guapa que ha llegado hoy en el tren. A poco se cae al descender del vagón. Me ha parecido hace poco que entraba aquí.

—Pero ya se ha marchado —añadió Maud.

—¡Es bonita! He viajado con ella y sólo la he visto al descender del vagón. Luego he ido a recoger mi caballo, a buscar una cuadra para guárdalo y hotel para mí... Ya no la he vuelto a ver más. Parece que venía de lejos.

—Así es.

—¿Me das un buen jarro de cerveza? Hace un calor que no se soporta.

—Pues si te quedas por aquí unos días, vas a

tener días con mucho más calor.

—Tú te llamas Maud, ¿no es cierto?

—En efecto. Ese es mi nombre.

—Encantado de conocerte.

El alto vaquero tendió su mano.

—Un amigo me habló hace tiempo de ti. Te recordaba con afecto. Aunque añadía que no debías guardar un buen recuerdo suyo porque un día, en una pelea, te rompió la mejor luna que había en la ciudad.

—¿Frederic? —Dijo ella, saliendo del mostrador—. ¡Háblame de él! ¿Es verdad que es amigo tuyo? ¿Por qué no viene por aquí?

—Pero si yo creí que estaba. Venía a saludarle...

—¿Entonces no sabes dónde está ahora?

—Ya te digo que creí que estaría aquí.

—Estás invitado y nos vamos a sentar para que me hables de él.

Y los dos estuvieron mucho tiempo sentados sin dejar de hablar.

—¿Y quién es el cobarde que vino con esa historia? —decía el alto vaquero que dijo a Maud llamarse Joe Harrison.

—Nadie sabe quién empezó, pero se comenta por todos los cobardes que están al lado de ese granuja de Peter, que odia a Frederic desde que eran muy niños.

—¿El hijo del usurero? Así llamaba Frederic a su padre.

—El mismo —exclamó ella, riendo.

—Así que esa muchacha tan guapa es la que defiende a Frederic y está muy dispuesta a castigar a los que le insulten.

—Ella es.

—Me agradará conocerla y hablar mucho con ella... Es la que Frederic recuerda con enorme afecto... Hasta creería que está enamorado de ella. ¡Las veces que me hablaba de esa muchacha!

—¡Estaban juntos a todas horas! Me preocupa Eugene, porque los enemigos, al darse cuenta, son capaces de matar a la muchacha. Sus peores enemigos son sus propios padres. Ella lo ha reconocido al hablar conmigo... ¿Sabes lo que vamos a hacer...? Ir al rancho de Frederic ahora mismo. Así paseo a caballo, cosa que no hago hace mucho.

Y los dos se marcharon hasta el rancho en cuestión.

La madre y la hermana que se disponían a meterse en cama, recibieron a Maud con agrado. Sabían la defensa que hacía de Frederic. Y, sobre todo, era la que les enviaba los víveres para que no pasaran hambre.

Estuvo Maud en la casa hasta medianoche.

Joe se quedó instalado en esa casa... Esperaría hasta que llegaran las fiestas, ya que dijo que era uno de los motivos que le habían llevado a esa parte de Texas.

A la mañana siguiente, estaba Joe partiendo leña ante la casa y como se encontraba de espaldas al camino que llevaba a la casa, Eugene gritó:

—¡Frederic...! ¡Frederic...!

Se volvió Joe al oír estos gritos y Eugene, que corría hacia él, se detuvo, exclamando:

—¡Tú...! ¿No eres el que llegó ayer en el tren?

—Yo soy. ¿Qué tal?

—¿Qué haces aquí?

—Venía buscando a Frederic y resulta que no está.

—¿Es que conoces a Frederic?

—¡Y somos grandes amigos! Hemos estado juntos en Nebraska. Creí que estaría aquí y de paso vine para ganar la carrera de caballos y lo que pueda en las fiestas de la ciudad.

Salieron la madre de Frederic y la hermana de éste.

Joe dijo que iba a terminar de partir la leña... Y cuando entró, a Eugene ya le habían informado de lo que hablaron la noche antes con Maud y con el forastero.

Volvieron a hablar de lo que se decía de Frederic... También de la muerte del ganado que les mataron los rancheros, cuyos nombres dieron las dos mujeres.

—Sabía muy bien que mi padre vino en el grupo pero no que fue el primero en disparar. Le he dicho que Frederic tiene balas con el nombre de cada uno —dijo Eugene.

Joe reía con las palabras de Eugene.

—¿Sabes que Frederic está enamorado de ti hace tiempo? —dijo Joe.

—Si no fuera así le mataría cuando le viera ante mí. No he hecho más que pensar en él. Lo saben todos por aquí.

Pasó el día en el rancho y por la noche, Joe acompañó a la muchacha hasta la ciudad.

Ambos fueron a la oficina del sheriff. Ella le presentó.

Los tres hablaron siempre del tema de Frederic.

—Tendremos que averiguar quién trajo la noticia de Frederic.

—Es posible que Douglas sepa algo. Publicó en su periódico una larga historia de los delitos de Frederic —dijo el sheriff.

—¿Es posible? —exclamó ella—. ¿Conozco a ese periodista?

—No creo. Lleva casi tres años aquí. Le trajeron para preparar el ambiente para poder formar una Agrupación de Ganaderos... Pero la idea no prosperó mucho en la mentalidad de los ganaderos. Tienen aquí el ferrocarril y venden directamente su ganado.

—Se han hecho varias agrupaciones de ésas. Todas, menos una, resultó un intento de robo en gran escala —dijo Joe.

—Es lo que intentaron hacer aquí —añadió el sheriff.

Llamaron a la puerta y el sheriff se levantó a abrir.

Era Peter que entrando, dijo:

—Me han dicho que está Eugene aquí. ¡Hola, Eugene...! —añadió al verla, mientras miraba intrigado a Joe—. ¿Te quedarás aquí?

—Por lo menos hasta que encuentre al cobarde que habló mentiras sobre Frederic y haya colgado a los que siguen diciendo que eso es verdad.

—No puedes defender a Frederic con ese calor. No sabes qué puede haber hecho en estos años. Sé que eras muy amiga de él...

—Estoy enamorada de Frederic desde que era una niña... Por eso iré matando a todos los cobardes que pongan en duda la nobleza y honradez de él. ¿Es cierto que tú has dicho que no se atreverá a venir?

Y la muchacha se echó a reír a carcajadas.

—¡Vamos...! ¡Mira que atreverte a decir, tú, que eres un cobarde, que no se atreverá a venir por miedo a ti! Cuando llegue Frederic, te esconderás bajo la tierra, pero por mucho que te escondas, te encontrará. No te mato yo porque quiero que lo haga él. Se enfadaría conmigo si le evitara ese trabajo. Será un gran placer para él colgarte.

—¡Sheriff! Es testigo de que me está insultando.

—Te estoy llamando por tu nombre.

—Creo que has venido en mal momento —dijo Peter al salir.

—Va asustado —dijo Joe.

—Pero es peligroso, precisamente por ser cobarde —dijo el sheriff.

Peter entraba a los pocos minutos en un saloon. Desahogó su mal humor insultando a Eugene y afirmando que le iba a pesar haber regresado.

Los amigos le pidieron explicaciones y al contar lo sucedido, afirmaron que ellos se encargarían de asustar a la muchacha.

—Si es como antes, no esperéis lograrlo. Era como un muchacho muy valiente.

—¡Te aseguramos que se asustará! ¿Verdad...? —dijo a otro.

—Desde luego. Ya lo creo que se asustará.

—No sé quién es el que estaba allí con ellos. Creo que llegó ayer, en el mismo tren que Eugene.

—Se habrán conocido en el viaje.

—¿Es muy alto? —dijo el dueño, acercándose.

—Sí.

—Vino preguntando por Frederic.

Palideció Peter.

—¿Estás seguro?

—Preguntó aquí por él. Bueno, por su rancho y le explicaron dónde está. Pero al salir, fue a casa de Maud.

—¡Es extraño! —decía Peter.

Pero sus ojos brillaron de maldad y alegría a la vez.

—¡Dijo que va a castigar al que hable de Frederic! Tenemos la excusa. Ese forastero es uno de los hombres de la banda de Frederic que viene a visitar a su familia, para darles dinero, del que él consigue en robos y atracos.

—Hay que hacérselo creer al sheriff.

—Mal asunto. Estaba con ellos y parecían hablar como amigos.

—Ya sabes cómo se puede obligar al sheriff a que haga lo que le digamos.

Sonreía Peter.

El dueño del local que lo estaba oyendo, añadió:

—¡Cuidado con Richard!

—Hará lo que le digamos.

—Hay un inconveniente en el que tenéis que pensar. La división C. de los rurales.

—Precisamente, por temor a ella es por lo que Richard actuará como queramos.

Sin embargo, el capitán Thorn, visitado por Eugene, fue a ver al sheriff. Le dijo:

—¡Richard! Antes de ser elegido, sabíamos quién era y lo que le pasó. Se lo digo para que sepa que eso no es ningún inconveniente para su trabajo actual. No sabía que tuviera miedo de que se descubriera su estancia en la prisión... No debe preocuparle... Tenemos mucha confianza en usted.

El sheriff no respondía. Estaba emocionado.

El capitán se dio cuenta de ello y añadió:

—Si tratan de extorsionarle con amenazas de este tipo, encierre sin miedo al que lo haga. O dispare sin temor sobre él.

—Gracias, capitán —dijo el sheriff, tendiendo su mano.

Al marchar el rural, sabía que lo iba a pasar muy mal el que, en lo sucesivo, tratara de asustar al sheriff hablándole de su pasado.

Y mientras, Eugene y Joe, con Helen, la hermana de Frederic, estaban proyectando la campaña inmediata.

Eugene había hablado de ello con el capitán, que se reía de buena gana cuando se lo dijo. Aunque éste le advirtió que era muy peligroso lo que iban a hacer.

Pero la muchacha no conocía el miedo y no temía por nada. Se encontró con Joe, que estaba dispuesto a hacer lo mismo que ella había pensado.

Eligieron a un ganadero que era nuevo en el condado y que según los informes que había recogido Maud, fue el que inició lo del ganado con fiebre de Texas.

Tenían que actuar de noche y con rapidez, para obtener el efecto deseado. Esa misma noche, Joe entró en el rancho elegido.

A la mañana siguiente, los vaqueros de ese rancho encontraron más de treinta reses tumbadas en el suelo y babeando.

Un vaquero corrió hasta la casa para informar de lo que pasaba... Los otros cowboys montaron a caballo para ver las reses.

Asustado, el dueño fue a la ciudad en busca del veterinario, pero no estaba.

Los vaqueros comentaron esto.

Eugene, que estaba esperando esta visita, al conocer los hechos, exclamó:

—Está cerca de mi rancho... Hay que sacrificar esas reses, para que la epidemia no acabe con la ganadería de la región.

Maud animó a los que estaban en su casa y añadió que eso es lo que hicieron con las reses de los Nolan.

Supo hablar Eugene y como el sheriff no iba a intervenir en contra, se formó un grupo de unos veinte jinetes.

El dueño del rancho estaba en casa de una amiga, para dar tiempo a que regresara el veterinario.

Cuando llegó a su rancho, sin paciencia para esperar más, se encontró con alrededor de cuatrocientas reses sacrificadas y una enorme pira en la que ardían los animales que fueron muertos a tiros.

Como un loco, trató de lanzar a los vaqueros sobre los que habían hecho la matanza, pero éstos, dijeron que era lo mejor que podía hacerse para cortar la epidemia y que no estaban dispuestos a que les mataran a ellos también.

Cuando el veterinario llegó al rancho, no pudo comprobar lo de la enfermedad.

El ganadero estaba hecho una furia.

—Me han matado el mejor ganado que tenía en el rancho —decía.

—Si se trataba de una epidemia, han hecho bien —exclamó el veterinario.

—No. Esto ha sido una maniobra de esa muchacha... Quiere vengar lo que hice con el ganado de Frederic.

—No ha sido ella. Lo han hecho ganaderos y cowboys que no son de su rancho.

—Pero es obra de ella. Es la que formó el grupo de jinetes en la ciudad.

—Ha hecho lo mismo que usted hizo —comentó el veterinario.

Y al día siguiente aparecieron otras tantas reses muertas y ardiendo.

—No me van a dejar una res... Han destrozado una fortuna. ¡La mataré!

Cuando en la ciudad se supo este nuevo

sacrificio, los ganaderos que intervinieron en lo de los Nolan, estaban asustados.

Y era para tener mucho miedo, ya que Joe había marchado en busca de unas reses con esa fiebre. Sabía dónde encontrarlas. Se las entregaron de las que estaban en observación y tratamiento.

Se llevó cuatro. Eran suficientes para acabar con el ganado que les interesaba.

Durante la semana transcurrida el ganadero que perdió sus reses no hacía más que afirmar que iba a matar a Eugene.

Pero no se la podía acusar de nada, ya que nadie la vio.

Capítulo 4

—¡No hay duda! —Exclamó el veterinario—. ¡Es la fiebre de Texas! ¡Se extenderá como la pólvora y acabará con el ganado de todo el condado!

El ganadero propietario de las reses reconocidas, veía los ojos de los testigos y muy asustado, empezó a decir:

—¡No...! ¡No me matéis las reses!

Pero en los cuatro ranchos que aparecieron reses afectadas, la matanza fue espantosa.

Y no intervino Eugene en esto. Ni Joe tampoco. No se les podía acusar.

Los rancheros que perdieron su ganado, se reunieron en casa de un amigo.

—¡Ha sido nuestra ruina! —decía uno.

—Pues yo tenía el ganado listo para embarcar —añadió otro.

—Maldita enfermedad —exclamó un tercero.

El rancho que más reses perdió, por ser en el que más tenía, era el de Moses Green, padre de Peter.

El usurero estuvo durante días que no había medio de poder hablar con él. Calculaba lo que valían las reses y se volvía loco al pensar en lo perdido.

Uno de estos ganaderos, entró en casa de Maud.

Ella no mencionó lo de las reses sacrificadas... Aunque estaba deseando hacerlo. Pero si callaba, era siguiendo las instrucciones de Joe.

—Supongo que te habrá alegrado lo que sucedió con mi ganado —dijo él.

—No me alegra nada que la ganadería se pierda... —dijo ella—. Pero ahora, es posible que comprendáis lo que sufrieron los Nolan cuando les matasteis el ganado.

—Me he arruinado.

—Lo mismo les pasó a ellas.

—Sí. Creo que lo comprendo ahora.

—Pero aquellas reses, vosotros sabíais que no tenían nada. Fue una maniobra de un grupo de cobardes.

El ganadero se marchó para no reñir con Maud ni darle la gran satisfacción de seguir hablando en ese sentido.

Al salir fue cuando pensó que todos los afectados eran los que fueron a disparar sobre el ganado de los Nolan.

Seguidamente fue al encuentro del usurero. Y exclamó:

—¡Esa muchacha! ¡Es la que ha hecho esto...! ¡Ella ha sido...!

—¡No...! Hay que reconocer que había reses afectadas de esa maldita enfermedad. Las vi yo mismo —decía Green—. He sido castigo.

—Pero planeado por esa muchacha.

—Te digo que no. El veterinario recogió centenares de pulgas, que son las culpables de propagar la enfermedad.

—Pues yo creo que es obra de ella.

—Puedes estar seguro que no es así —añadió Green.

Cuando todos estaban tranquilos, visitaron al sheriff dos personajes que se pasaban las horas jugando en uno de los saloons.

—¡Sheriff! ¿Ha pensado en la llegada de ese muchacho tan alto? —dijo uno de ellos.

—¿Qué quiere decir? ¿Por qué he de pensar en la llegada de Joe?

—¿No vino preguntando por Nolan?

—Ha sido amigo suyo. No tiene nada de extraño.

—¿Es que no es sospechoso que se haya quedado en un rancho que no tiene nada de ganadería y que las mujeres compren víveres...? ¿No será uno de los hombres de Nolan? Ha venido a traer parte de lo que roban.

—¿Quién os ha encargado decir esto?

—Nadie. Es que sabemos pensar.

—Pues vais a tener tiempo de seguir haciéndolo.

Los jugadores vieron un «Colt» que les apuntaba.

—¡Pónganse de espaldas...!

—Pero, sheriff... Lo que hemos dicho es bastante lógico.

—Ya me diréis quién os ha encargado propagar esa historia. Hasta que no me digáis quién os envió, estaréis encerrados.

Y los dos entraron en las celdas. No había más que esas dos.

No sirvieron de nada sus protestas y hasta sus amenazas de hacer saber a la ciudad que había estado en prisión por cuatrero.

Aquellos que esperaban el resultado de la visita al sheriff, se impacientaron al ver que tardaban más de lo normal. Al prolongarse esta tardanza, se pusieron nerviosos.

Al final, asustados, pensaron en sí habrían sido detenidos por el sheriff.

El dueño del local, al darse cuenta de la inquietud de los que esperaban, dijo:

—¡Os advertí que tuvieseis mucho cuidado con Richard...!

—¡Calla! —gritó uno.

Pero pasaron las horas. Tuvieron que marchar y los jugadores seguían sin aparecer.

Supieron al día siguiente que estaban detenidos. El miedo aumentó entre los que estaban comprometidos con la historia que fueron a contar al sheriff.

—¡Si dicen que hemos sido nosotros...! —decía uno.

—Podemos negar —añadió otro.

Los encerrados gritaban para pedir de comer y que les soltaran.

Apareció el sheriff, que les dijo:

—Si recordáis quién os ha enviado, habrá comida y libertad.

Sin embargo, ellos no dijeron nada.

El sheriff cerró la puerta de las celdas. No volvió a aparecer hasta la noche.

—¡Qué...! —exclamó—. ¿Estáis dispuestos a hablar?

—No es delito lo que hemos dicho. Si no es verdad lo que pensamos, ello no quiere decir que seamos responsables de nada. Queríamos servir a la justicia.

Sin responder, salió el sheriff.

Y al otro día, se repitió la misma escena por la mañana... Cuando llegó la tarde y el sheriff pasó a verles, uno de ellos dijo:

—¡Bueno! Estamos hambrientos. Se comentó en casa de Dorian. Y nosotros vinimos a decirlo.

—Quiero saber quién os envió con la historia. No me importa dónde se comentó. Solo quiero conocer el nombre de la persona que os ha enviado.

Sin embargo, seguros de que les matarían si decían la verdad, no hablaron.

Al tercer día se presentó un abogado de la capital.

—Soy el abogado Milton Wright, de Austin.

Vengo a hacerme cargo de la defensa de dos detenidos que tiene aquí y que deben ser puestos en libertad, ya que no es un delito pensar que ese muchacho estuviera de acuerdo con un tal Frederic Nolan, del que ya hay varios pasquines.

—¿Los ha visto usted? —dijo el sheriff con naturalidad.

—Por eso hablo de ellos.

—¿Reclamaciones en Texas?

—¡Ya lo creo...!

—Muy interesante. Dígame en qué ciudades de Texas está reclamado Frederic Nolan.

—Hombre... No voy a recordar el nombre de todas.

—Basta que diga una —añadió el sheriff.

—No es preciso. Lo que he venido es a pedir la libertad de los detenidos, no a discutir de pasquines. Y ya sabe que éstos...

—No le comprendo —dijo el sheriff.

—Vamos, sheriff. No diga eso. Usted sabe bien lo que quiero decir.

—Será mejor que lo diga con franqueza.

—¿Quiere que los rurales y las autoridades de Austin sepan ciertas cosas?

—¡Si es amante de la justicia y entiende que debe hacerlo, no se detenga...! Espero que me diga en qué ciudad de Texas reclamaron a Nolan.

Sin dejar de protestar, entró el abogado en las celdas.

—Ahí tiene a sus defendidos. Tiene tiempo de informarse de los hechos y de estudiar la forma de defenderles.

—¡Esto te pesará, cuatrero! —dijo el abogado.

Entró en la celda a causa del golpe recibido en pleno rostro.

Cuando el sheriff salía de esa parte del edificio, el abogado se limpiaba la sangre que salía de su nariz.

Ahora, era Peter el que esperaba el regreso de Wright.

—Pues no sé por qué ha de estar tanto tiempo allí —decía al dueño del local.

—Si ha de hablar con ellos, eso requiere tiempo.

—No ha ido a hablar sino a dejarles en libertad.

Los presos, al ver al abogado encerrado también, vieron que iba en serio y cuando el sheriff entró, le dijeron que les había enviado Peter, el hijo de Green.

—Muy bien. Así que sabían que era una historia.

—No. Eso no podíamos saberlo nosotros.

—Bien. Tres meses de prisión por hacer campaña a base de falsedades. El abogado os dirá si soy justo o no.

—No tiene razón para encerrarles... Han repetido lo que oyeron. Y como es bastante lógico, aunque no quiera reconocerlo, hicieron bien en venir a verle.

—Su visita no se debió a ese sentido cívico de que tratan de presumir... Lo hicieron con el único objeto de molestar a ese muchacho y seguir haciendo campaña en contra de Frederic Nolan.

—¿Sabe usted acaso si es falso lo que se dice de él...? ¿Es que no es posible que sea verdad todo lo que se dice? ¿Sabe usted algo concreto que lo niegue?

Sin hacerles caso, el sheriff les dejó solos. Seguidamente, cerró la oficina y se dirigió al saloon en que suponía estaban los que esperaban al visitante.

El abogado que tenía encerrado era muy popular en Austin, pero su popularidad se debía más que a sus condiciones de capacidad, a sus trampas constantes. Era el que más ganaba de todos.

Entró el sheriff y al ver la reunión junto al mostrador, sonrió para sí... Con la mayor indiferencia se acercó al barman para pedirle bebida.

—Puedes decir a todos los amigos de Milton Wright que está encerrado. No creo que necesite abogado que le defienda, pero tal vez Peter Green quiera hacerlo... Parece que es el que le mandó venir de Austin. ¡Mal viaje ha hecho el hombre!

Peter saltó como un muelle.

—¡Escucha, sheriff! —dijo—. Ya estás soltando a ese hombre, si no quieres tener un disgusto con las autoridades de Austin. Tienes que estar loco para detener a un personaje como él.

—Y estará bastantes días.

—El juez hará que le sueltes.

—No hay juez aún.

—Lo seré yo y te aseguro que cuando lo sea, no estará esa placa en el mismo pecho.

—Sin embargo, mientras siga aquí, se hará lo que yo diga.

—Tienes que soltar a Milton. No ha hecho más que tratar de defender a dos detenidos que tampoco tienen por qué estarlo. Parece que estáis perdiendo los estribos por defender a Frederic. ¡Un cuatrero...!

—¿Dónde has oído que lo sea? ¿Dónde has visto los pasquines de que hablas? Hasta que Milton no recuerde dónde los vio y se demuestre que es verdad que existen por medio del telégrafo, estará encerrado. Espero que tú sepas decirme por qué aseguras que es un cuatrero.

—Es lo que se dice en la ciudad.

—De ahora en adelante, todo el que hable de ello, será encerrado y ya verás cómo se le ocurre pensar y decir a quién se lo oyó decir.

—No se puede detener a nadie por repetir lo que alguien diga.

—Si lo que se dice es una mentira y una falsa acusación, ya lo creo que se les puede detener. Y eso lo sabes cómo abogado.

Peter no quiso insistir en la seguridad de que iba a ser detenido si lo hacía.

Y cuando el sheriff salió, los amigos le miraban asombrados.

—Decías que iba a soltar a los detenidos en cuanto viera a Milton frente a él. ¿No es lo que decíais que iba a suceder? —exclamó uno.

—Tenéis que convenceros que es muy peligroso —añadió el dueño—. Lo estoy diciendo hace días. Y no está asustado por lo que haya sucedido en su pasado.

—Pues ya que lo quiere, haremos saber que no puede ser sheriff quien ha estado en prisión por cuatrero. Sería poner el ganado a disposición de sus amigos y compañeros.

—Que no te oiga decir nada en este sentido —añadió el dueño—. Y te agradecería que no lo repitas aquí. Le estás provocando hasta un extremo que le obligaría a usar el «Colt». ¡No juegues con él...!

Peter calló, asustado.

Los que estaban con él, se marcharon. Cuando llegó a su casa, le dijo a su padre:

—Parece que Richard se está riendo de vosotros. No os tiene miedo. Y decías que podrías hacer que dejara de ser sheriff en el momento que quisieras. ¿A qué esperas? Habrá que recurrir a otro procedimiento.

—¡Cuidado con los rurales!

—Es una policía rústica. No tienen nada que hacer en las ciudades.

—Aun así. No juegues con ellos... El sheriff ha estado de acuerdo con la eliminación de todo nuestro ganado. Yo me alegré de lo que hicisteis con los Nolan, pero ahora estoy convencido de que fue un mal paso. Es lo que nos ha costado tantas reses. Yo he tratado de convencer a los demás que ha sido justo lo que han hecho con nuestro ganado, porque prefiero su pérdida que moverme pendiendo de un árbol. Y sé que los que se enfrenten a los rurales, terminarán de ese modo.

—Me sorprende mucho que tengas miedo de algo —decía el hijo.

—Es que no he perdido el sentido común. ¿Crees que de no ser por ello me quitaría Maud los clientes como está haciéndolo? Habría gastado unos galones de petróleo y su local habría sido convertido en cenizas.

—Lo que ella hace no tiene tanta importancia.

—Tiene mucha. Demuestra que abuso con los que acuden a mí... Ella no les cobra nada por sus anticipos. ¡Ya lo creo que me hace daño!

—Se ha esfumado la posibilidad de una asociación de ganaderos —dijo Peter.

—Nunca hubo fundadas esperanzas de conseguirlo. El ganadero texano, es enemigo de ese sistema. Y mucho más si tiene el ferrocarril cerca.

Después de unos minutos de silencio añadió el viejo:

—¿Qué vas a hacer para soltar a ese abogado que has hecho venir de Austin?

—No lo sé. Me tiene preocupado Richard.

—Si no lo hacéis por la violencia, pero sin que te pueda inculpar a ti, no les dejará en libertad.

—¡Pero si no han cometido ningún delito...!

—Deja entonces que se canse de tenerles encerrados.

Esto era lo que aconsejaba Joe al sheriff, horas más tarde, al hablar con él.

—Ya les ha dado un susto y demostrado que no les teme... Ahora déjeles en libertad. No creo se atrevan a insistir en lo que han estado diciendo. Tiene como buen pretexto la llegada de las fiestas.

—¿Crees que debo dejarles marchar?

—Sí.

—¿Qué opinas tú, Eugene?

—Creo que Joe tiene razón. Ya les has dado una demostración de que la autoridad lo eres tú.

—Está bien. Mañana les dejaré salir.

Las detenciones habían asustado a los que solían hablar de Frederic. Nadie se atrevía a decir que era un bandido o un cuatrero. Tenían miedo a que el sheriff les encerrara hasta que pudieran demostrar que era cierto.

Los que menos ganas tenían de insistir, eran los

que más hablaron de ello. Los amigos de Peter.

Se decían unos a otros que debía ser Peter el que lo hiciera, ya que en realidad, era el que odiaba a ese muchacho.

Al día siguiente, sin comentarios, dijo el sheriff a los detenidos.

—Creo que es suficiente para que aprendan que no se puede hablar de nadie sin tener pruebas irrefutables de que, al menos, conocen al que propaga una noticia que afecta a una tercera persona.

Los tres salieron, todavía muy asustados. No comentaron nada. Se marcharon en silencio.

Los amigos les felicitaron y acosaban a preguntas.

Milton era el más enfadado de ellos. Se marchó a visitar al capitán Thorn.

Capítulo 5

Anunciaron al capitán la visita del abogado y le hizo esperar más de media hora. Con tal motivo, el enfado de Milton era mayor. Cuando entró en el despacho, dijo:

—Supongo que conoce mi nombre, capitán. Tengo buenos amigos en los rurales de Austin. Soy abogado allí.

—He oído hablar de usted, Wright... —dijo el capitán—. Supongo que no ha venido solamente para decirme quién es.

—¡Claro que no...! Vengo a protestar contra el sheriff, que me ha detenido sin razón legal alguna para ello.

—Me sorprende que venga a nosotros para quejarse. ¿Cuántas veces ha dicho en su vida profesional que los rurales no tenemos nada que hacer en las ciudades?

—Es que no hay juez aquí...

—Eso no modifica nuestra incompetencia tan repetida por usted. Tampoco creo que sea ésta la causa de su visita. Debe tener otra finalidad que esté más en consonancia con nuestra misión.

—Veo que es astuto, capitán. Y confieso que me sorprende.

—Me creía un tonto, ¿no es así?

—No es que le considerara tonto, pero no pensé que fuera tan agudo.

—Y ahora, diga a qué ha venido, porque tengo mucho que hacer.

—¿Conoce al sheriff que tiene en la ciudad?

—Desde luego.

—¿Está seguro?

—Es lo que creo.

—Pues yo sé que se equivoca.

—Es muy posible que no sea así. Veamos si lo que sé de él, es lo mismo que usted está dispuesto a decir. Se llama Richard Scheller. Nació en la Unión. Formó parte de un equipo de cuatreros que le complicaron en robos de ganado por lo que estuvo en prisión dos años. Cuando salió, trabajó de cowboy con distintos ganaderos. Consiguió ahorrar y comprar un pequeño terreno, levanto una casita y cría algunas reses, con cuya venta, iba viviendo. Fue nombrado sheriff y con los ochenta dólares que le pagan, ha mejorado su situación, ya que la esposa atiende al rancho, con la ayuda que él le presta en sus visitas al mismo. ¿Tiene algo que añadir?

Milton miraba sorprendido al capitán.

—¿Así que saben que es un cuatrero y le tienen de sheriff?

—Nosotros no votamos en las elecciones. Lo hace el pueblo. Es quien le eligió.

—Pero sabe que no puede ser elegido quien se demuestre que es un cuatrero.

—Este fue acusado de ello. Cumplió la condena que la sociedad le impuso. Y pagada su culpa, es tan digno como los demás... Usted sabe bien que no se le puede impugnar el nombramiento.

—Los electores no sabían quién es en realidad.

—Cuando haya elecciones que no le reelijan. Supongo que no tendrá inconveniente en que le diga lo que ha venido a decirme usted.

—Se lo he dicho a él.

—Y le costó un puñetazo, ¿verdad...? Es lo que le duele aún. Más que el encierro. La próxima vez, es posible que use el «Colt» en vez de los puños. Y hará bien. Los cobardes como usted, éste es el único lenguaje que entienden.

Milton salió corriendo del despacho para no ser golpeado por el capitán.

Iba asustado. Después de no conseguir nada con la visita, había empeorado mucho su situación ante el sheriff.

De saber éste que había ido a denunciarle a los rurales podría darle mayor disgusto.

Se dirigió a la casa de Green y no ocultó cuando almorzaba con el padre y el hijo lo que le había pasado con Thorn.

—Se ha perdido el arma que teníamos contra Richard —decía el padre.

—No comprendo nada la actitud de los rurales... —añadió Milton—. Voy a quejarme a los superiores del capitán, en Austin.

—¡No le harán caso tampoco...! Un hombre que ya ha estado en prisión está limpio de culpa y habrá que demostrar que sigue siendo un cuatrero. Es lo que debisteis hacer, antes de hablar. Y ahora, ya no es posible. Sería muy peligroso.

—Bueno. Vine para que soltara a esos dos y están en libertad.

—No por su mediación, ¿verdad? —dijo el padre de Peter, riendo.

—Voy a marcharme, porque no tengo nada que hacer aquí. En cuanto a la Asociación de ganaderos, no penséis en ella... La han destruido mucho antes de empezar, matando el ganado de los promotores de la misma —añadió Milton.

—Tampoco se ha conseguido echar a los Nolan de su rancho... Esas dos mujeres han seguido en esos pastos sin reses.

—¿Siguen creyendo que hay petróleo en esos terrenos?

—Es lo que afirman los del laboratorio que analizaron las muestras de agua... Y ese laboratorio sabe lo que hace. Están analizando constantemente en Dallas.

—Es posible que ellas lo sepan. ¿Por qué no se les ofreció una buena cantidad?

—Porque dicen los del laboratorio que ello no quiere decir que el petróleo esté en esos terrenos... Que puede haber sido arrastrado el aceite desde bastante distancia. El arroyo no nace en ese rancho.

—Comprendo.

—Habría que hacer prospecciones antes.

—Una buena oferta a las dos mujeres, sería suficiente.

—Esperábamos que la campaña contra Frederic, las decidiera a marchar, ante el temor de que se le colgara al venir. Pero no han hecho nada de lo que se esperaba.

—Sí. Se han vengado de quienes les matamos sus reses —dijo el viejo—. Nos han hecho sacrificar unos millares en total. ¡Una fortuna!

—¿Cree que ha sido una venganza?

—Estoy seguro.

—¿Y no les castigan?

—Las reses nuestras no han sido muertas por ellas.

—Comprendo —añadió Milton.

Después del almuerzo, Peter se marchó con Milton.

Este iba a salir en el primer tren. Su viaje a Fort Worth no había sido un éxito.

En el saloon del amigo encontraron al periodista que acababa de llegar de Dallas. Se llamaba Douglas, ya sabía lo sucedido, miró a Milton y exclamó:

—¿Qué le pasó, abogado…? Ya ha conocido la prisión de este pueblo… Es una buena noticia para mí.

—¡No publicarás nada de eso! Lo que vas a decir es quién es el sheriff en realidad. Es lo que interesa a los ciudadanos de aquí —dijo Milton.

—¿Cree de veras que les interesa?

—Esto es una región ganadera. No pueden tener de sheriff a quien ya ha estado preso por robar ganado. ¿Comprendes?

—Pasó hace tiempo y ha podido reformarse. Parece que así ha sido.

—No interesa eso. Hay que hacerle destituir de sheriff.

—Si está dolido con él, es mejor que lo haga en Austin… No quiero ver mis prensas destrozadas y yo en prisión.

—No sabía que te has vuelto un cobarde.

—¡Soy más viejo y quiero vivir tranquilo! Voy a tener que decir quién me facilitó los datos de Frederic Nolan. Han ido a buscarme varias veces para ello —dijo Douglas.

—Dirás que lo has oído decir.

—Pero me pedirán el nombre de una de las personas de las que hablaban de ello. Tú Peter, eres una persona solvente, y di crédito a tus palabras.

—Si dices que fui yo, morirás —dijo Peter, con energía.

—Comprende que no tendré más remedio que hablar.

—Pero no tienes por qué decir que me lo has oído decir a mí.

Douglas sabía que era un peligro enfrentarse a Peter. No por él, que era un cobarde, sino por su padre, que controlaba a varios granujas que harían lo que les pidiera.

Por esta razón, cuando al otro día le visitó Richard, dijo que lo había oído decir en los bares y saloons.

—Lo mismo que usted, sheriff. No negará que no ha oído estos comentarios como yo. Para mí, como periodista, era una noticia. Por eso la publiqué.

Comprendía Richard que era verdad y no dijo nada más.

Pero Eugene no era el sheriff.

Cuando se encontraron en la calle y ella supo quién era, llamó:

—¡Periodista...!

Douglas miró a la muchacha y admiró su belleza en primer lugar.

—Diga... ¿Puedo servirla en algo?

—Sí. Deseo que me diga quién le dijo lo de Frederic Nolan con tantos detalles como publicó en su periódico.

—¡Ah! ¿Era eso? —exclamó—. Ya le he dicho al sheriff que lo oí en la ciudad.

—Cuando se publica una cosa en un periódico ha de ser porque está comprobada, ¿no le parece? Es lo que la ética del periodismo exige.

—Nosotros recogemos el rumor...

—Usted lo daba como probado. ¿Es que no recuerda lo que escribió?

—Bueno... En el periodismo, solemos actuar así.

—Y nosotros, de esta forma.

Y el látigo de la muchacha se ensañó con el rostro y el cuerpo de Douglas, que pedía auxilio en todos los tonos.

Cuando dejó de castigarlo, el doctor tenía trabajo para unas horas.

Mientras le curaba, comentó:

—Mucho cuidado con esa muchacha. Es valiente y decidida. No parara hasta terminar con los que abusaron de la familia de Nolan.

—¡Yo le daré a ella...! Se ha de acordar de esto que ha hecho.

Pero a la mañana siguiente, su ayudante le dijo que no había podido trabajar porque había sido destrozada la imprenta.

El pánico se apoderó de Douglas.

—Pues debe dar gracias a que haya ocurrido eso —decía el doctor—. De haber publicado lo que usted quería, sería colgado por esa muchacha.

No se atrevió a decir lo que pensaba. Sin periódico, no tenía razón de seguir allí. Eso era lo que le disgustaba y estaba viviendo bastante bien con él.

Fue llevado a su casa con el rostro cubierto de vendajes.

Estaba pensando a quién pediría ayuda para traer varias prensas. Las fiestas estaban muy cerca y ganaba más que en el resto del año durante las mismas.

Visitó al usurero con esta finalidad. Este decidió ayudarle.

Fueron llevados los materiales y aparatos precisos.

Y se pusieron a confeccionar los carteles de las fiestas… Conoció a un Peter cruel y muy ambicioso.

Estaba extrañado. Los anuncios acudían como nunca… No había más que contados locales que se resistieron a ello.

Cínicamente explicó Peter el sistema empleado para lograr los anuncios. Se debían a una cuenta obligatoria como protección.

—Y los que no han aceptado aún, tendrán que hacerlo… Les asustaremos primero y después suelen aceptar —explicó Peter.

—Es un sistema que acaba en la cuerda… Cuando sepan quién está tras de todo esto, te colgarán.

—No te preocupes. Ninguno dirá nada por temor a su familia.

A pesar de que Douglas no había sido honrado en su vida, sintió miedo de Peter.

Uno de los locales que no accedió al chantaje, fue el de Maud. Dijo que su almacén no necesitaba anunciarse. Y aunque siguieron las amenazas a la negativa, no le hicieron cambiar.

Debía ser castigada para que sirviera de

ejemplo a los demás.

Y una noche, a la semana de haberla amenazado, unos ventajistas armaron un gran alboroto en el local y el destrozo valía mucho más de lo que hubiera tenido que pagar en seis meses.

Maud sabía quiénes eran los autores reales de todo lo sucedido y hablando con Joe y Eugene, se lo dijo.

Los que hicieron el destrozo, solían jugar y divertirse en casa de un granuja que tenía un saloon frente a la estación.

Y a la tercera noche del suceso, cuando la ciudad dormía, se iluminó con un intenso incendio el saloon en cuestión.

Solamente se salvaron las personas que escapaban por las ventanas... Tuvieron que salir tal como estaban en la cama.

A la mañana siguiente fueron atendidos por otros amigos que les prestaron lo que necesitaban de ropa.

Nadie se explicaba lo del incendio, que decían había sido accidental.

Sin embargo, alguien recordó lo sucedido en casa de Maud... Entonces el dueño exclamó:

—Saben que ésos solían estar en mi casa. Es obra de Maud. No hay duda.

Pero no se podía probar nada, ya que nadie vio a ésta fuera de su casa.

Peter, al estar con el dueño, dijo:

—Creo que tienes razón al sospechar de Maud. Ha tenido que ser ella la que te ha hecho esto.

—¡Incendiaré ese local! —dijo desesperado el propietario.

Dos horas más tarde, entraba Maud en el local en que estaba el arruinado propietario. Entró serena, pero decidida. Y se enfrentó a él para decir:

—Sé que estás diciendo que vas a incendiar mi casa.

—Tú lo has hecho con la mía.

—¡Estás mintiendo, como todos los cobardes!

¡No quiero que puedas hacerlo! ¡Por eso he venido a matarte...!

Y en la mano de la mujer apareció un «Colt» firmemente empuñado.

El asustado propietario pedía perdón en todos los tonos y afirmaba que no haría nada. Decía que la desesperación le obligó a decir lo que no sentía.

Y Maud, asqueada de tanta cobardía, se marchó sin disparar.

—¡No juegues con ella! —decían al dueño del saloon en que estaban—. Te matará.

Los que hicieron lo de casa de Maud sintieron miedo.

—No te preocupes —dijo uno de los tres—. Ha sido un accidente.

Y poco a poco, se fueron tranquilizando.

Pero esa misma noche, cuando estaban jugando en otro local, se presentó Joe. Les vio jugar un buen rato y cuando dejaron de hacerlo para beber con compañeros del equipo a que pertenecían, les dijo Joe:

—¿No sois vosotros los que armasteis el alboroto en casa de Maud?

—¿Y qué te importa a ti?

—Interesa a todos lo que hacen los cobardes. Y vosotros lo sois en grado sumo.

—Si te ha enviado Maud, no ha tenido mucha suerte. Ni ella ni tú. Porque después de matarte a ti, volveremos a aquella casa y haremos lo que debimos hacer la otra noche.

—Vosotros ya no podréis ir a ninguna parte. Pero me interesaría saber por qué razón hicisteis aquello, si ella no se ha metido con vosotros.

—Lo hicimos porque quisimos. ¿Verdad que está claro?

El sheriff que estaba dentro del local, estaba escuchando. Se acercó y dijo:

—¡Un momento, Joe! Deje que yo lo aclare. Había duda si eran éstos los promotores de aquel destrozo, pero ya he oído que lo han confesado...

Les llevaré detenidos. Quiero saber los motivos.

—No espere que dejemos que nos detenga, sheriff —exclamó uno.

—No crea que esto es robar ganado, como está acostumbrado a hacer.

Palideció el sheriff, pero su expresión no fue modificada.

—¡Vamos, sheriff...! —decía un tercero—. Estaba mejor en su oficina esperando el aviso de sus amigos para saber de qué rancho se van a llevar una partida de reses. ¿O es usted el que les indica dónde deben ir a por ellas?

—No te preocupes, Joe —dijo el sheriff—. Es mejor que sea yo el que les castigue.

—Parece que no ha comprendido sheriff. Le hemos dicho, que estaba mucho mejor en la oficina. ¡Aquí va a encontrar tanto plomo que no podrá aguantarlo...! —decía el primero que había hablado.

—¡Sois tres cobardes! No asustáis a nadie. Ahora no se trata de destrozar una casa aprovechando la sorpresa.

—¿Estáis oyendo? Nos ha insultado. Lo mejor es silenciar para siempre a quien se atreve a tanto...

—Yo me encargo de él...

Joe y los testigos miraban a Richard.

Había disparado sobre los tres sin dejarles empuñar.

—¡Averiguaré quién les envió a casa de Maud! —dijo el sheriff al salir.

Joe se dio cuenta que habían despertado la furia de un hombre sumamente peligroso.

Capítulo 6

—¡Peter…! ¡Algo terrible…! ¡Si hubieras visto a Richard disparar sobre los tres que hicieron lo de la casa de Maud…! ¡Vaya manos las suyas!

—¿Es verdad?

—No puedes hacerte idea. ¡Es más veloz que el rayo, y qué seguridad! ¡Hay que tener mucho cuidado con él!

Douglas miraba a Peter, que había perdido el color.

—Si averigua quién les envió a casa de Maud, te matará —dijo Douglas.

—¡Calla…! ¡Eres tan responsable como yo!

—No es verdad. ¡No me he metido en nada…!

—Eres mi socio y es el periódico el que cobra esta cuota.

—No creo que pague nadie el próximo mes. Han visto que están muertos los que iban a amenazarles.

—No se puede extorsionar sin peligro. No se debe ser tan ambicioso —dijo Peter.

—Me alegro que te hayas dado cuenta —dijo el periodista.

Por la respuesta de Peter, comprendió Douglas que la idea era del padre de Peter.

—Deja sin efecto lo de esas suscripciones... Cuando se informen que están pagando más de lo que valen los anuncios, te colgarán. Porque yo diré la verdad.

Peter, muy asustado, dijo que se marcharía una temporada a Austin. Y para no correr el riesgo de no poder hacerlo, se marchó en ese momento y subió al primer tren que iba a la capital.

Douglas no sabía quiénes eran los encargados del cobro de esa cuota. Por lo tanto, no podía dar órdenes de suspensión. Deseaba que solamente lo hubiesen hecho los que mató el sheriff.

La marcha de Peter era un síntoma para todos. En el acto imaginaron que se escapaba por miedo ante las muertes hechas por Richard.

El viejo Green estaba furioso con la huida de su hijo. Esa noche visitó a Douglas.

—Supongo —le dijo— que estás informado de lo que cobramos por anunciarse en el periódico.

—Pero eso se acabó, o digo a la ciudad quién es el que ha inventado el nuevo método de atracar —contestó Douglas.

El viejo, asustado, salió del periódico.

Douglas iba sólo por las noches para preparar el texto y formar el periódico. Todavía no estaba bien. Y sus heridas tardaban en cerrarse.

El viejo Green se marchó a su rancho... No quería estar en la ciudad, por si Douglas decía algo que no fuera conveniente.

En el pueblo se comentaba que los tres vaqueros muertos eran los que se encargaron de hacer suscripciones para los anuncios.

Todos imaginaban que estaban de acuerdo con Peter y que ésta era la razón por la que éste escapó.

Eugene, que se había instalado en casa de los Nolan, volvió a su casa. Cuando estaba almorzando dijo:

—Van a llevar cuatrocientas reses a casa de los Nolan.

—¡Eh...! ¿Es que te has vuelto loca?

—Nada de eso. Se llevarán esas reses.

El matrimonio se miraba preocupado.

—Vamos a vender una gran partida —dijo el padre—. No se llevarán uno sola res.

—Veo que no tenéis remedio ninguno de los dos. He tratado por todos los medios de evitar nuestra ruptura y os obstináis en que no pueda ser —añadió ella.

—He dicho que no irá una sola res a ese rancho.

—Tú fuiste uno de los principales causantes de que les dejaran sin ganado... Por lo tanto, les vamos a indemnizar.

—No insistas. Diré a los muchachos que no las lleven.

—¿Es vuestra última palabra?

—Sí.

—De acuerdo. No pienso discutir. Pero esas reses irán a ese rancho.

—¡No lo conseguirás! Creo que no has debido abandonar a tu tía.

—Volveré a su lado. No os preocupéis.

Eugene se marchó a casa de los Nolan y acompañada por Joe, marcharon después a la ciudad.

Habló la muchacha con el sheriff y con el capitán.

Por la tarde, las dos autoridades se presentaron en el rancho de Eugene.

Los padres de ésta miraron sorprendidos a los visitantes. Pero les saludaron con gran amabilidad.

—¿De paso? —dijo George.

—No. Venimos a hablar con vosotros.

—Si os ha hablado mi hija de entregar reses a los Nolan, yo no estoy dispuesto a permitirlo.

—No puedes oponerte, George.

—¿No?

—No. Porque este rancho no es vuestro... Es de Eugene y ésa es la razón por la que habéis odiado a la muchacha. Habéis creído que ella lo ignoraba, pero tengo una orden de las autoridades de Austin en que se me indica que debo haceros salir a la fuerza si os resistierais.

El matrimonio se miraba, consternado.

—Eso es lo que dice Eugene —exclamó George.

—Tengo copia del testamento de su abuelo y una orden del fiscal de Austin. No seas tonto. No empeores las cosas.

—Ese testamento es falso.

—¡Marchad de aquí y después, demostráis que es falso el testamento...! Pero vais a marchar ahora mismo. No podrás tocar una res.

—¡Esto es mío...!

—Es mejor que hablemos con Eugene. Tal vez no hemos debido negarnos a entregar esas reses —decía la esposa.

—Ya no podréis hablar con ella estando aquí. Vosotros estaréis en la ciudad o en casa de quien sea. Pero aquí, no —añadió el capitán.

—No se me puede echar de lo que es mío. Esto es un atropello.

—Si te niegas, serás echado por la violencia... No me obligues a ello. Habéis creído que la muchacha no sabía la verdad.

—¡Ha sido Harriet la que se lo ha dicho! No debimos enviarla con ella —exclamó la madre de Eugene.

Las dos autoridades reían.

—Hablaré antes con Eugene —dijo George.

—Hablarás con ella después de salir de aquí. ¡Sheriff! ¡Haga venir a los vaqueros...!

Richard hizo sonar la campana.

Los vaqueros empezaron a llegar y cuando estuvieron todos, dijo el capitán:

—Este rancho es de Eugene... Estos dos, no tienen nada en él. Como la muchacha es mayor de edad, se hace cargo del mismo. Así que si tocáis una sola res por orden de ese matrimonio, seréis considerados por mí como cuatreros y colgados como tales.

—¡Esto es un abuso! —decía George.

—Estoy advirtiendo a los muchachos para que no se dejen engañar por ti —añadió el capitán.

Se miraban los vaqueros sorprendidos, menos los viejos, que dijeron:

—Lo sabíamos hace tiempo.

—Estos creyeron que la muchacha lo ignoraba y por eso fue enviada lejos.

—Pero a casa de mi hermana, que es la que la ha instruido. —Decía la madre—. Esa fue nuestra torpeza. Si la hubiéramos matado cuando era...

Varios vaqueros se lanzaron sobre ella.

No se pudo evitar el linchamiento. Sucedió con rapidez.

George, aterrado, echó a correr.

El sheriff y el capitán se miraban disgustados.

—¡Fue culpa de ella! —Decía Richard—. No debió hablar así.

—Era mala, pero para Eugene será una mala noticia. Era su madre.

George, que había saltado sobre un caballo, galopó hasta el rancho de un amigo, que estaba bastante lejos de allí.

Le recibió con una sonrisa, pero al saber lo sucedido, dijo:

—No debisteis hacer eso a vuestra hija.

—Es ella la que nos echaba de allí...

—Es suyo el rancho y lo sabíais vosotros.

—Si hubiera muerto...

—Creo que eres tan cobarde como tu esposa... ¡Vete de aquí...! No quiero que los muchachos te maten y lo harán, si te oyeran decir eso.

—¡Es verdad! Nos quita lo que es nuestro. Fue un capricho de su abuelo.

—El rancho era de él y lo dejó a la muchacha porque quiso.

—He estado trabajando toda mi vida.

—Y has vivido como dueño, sin serlo.

—Iba a vender una gran partida de reses.

—¡Si hubieras tenido paciencia y tratado mejor a la muchacha! No debiste negar la entrega de esas reses.

—No creas que me voy a quedar tranquilo. Impugnaré ese testamento por falso. Lo han hecho mi cuñada y mi hija para quitarnos el rancho.

—¿Por qué no lo dejas así...? Te van a matar.

Pero George no estaba tranquilo.

Marchó a la ciudad para visitar a sus amigos, pero todos le decían lo mismo... Que dejara tranquila a Eugene y que fuera a pedirle perdón.

Y es lo que decidió hacer.

Eugene que estaba entristecida por la muerte de la madre, admitió a su padre en la casa de nuevo. Pero le dijo:

—Te advierto que si muero yo, no es para ti el rancho. Está todo previsto. No quiero que pierdas la cabeza por la ambición y la codicia.

George no dijo nada, pero le disgustó la noticia. Aun siendo una monstruosidad, había estado pensando en un accidente a Eugene. Eso le haría propietario de todo.

El padre paseaba por todo el rancho, tratando de encontrarse con los vaqueros que fueron admitidos por él.

Pero a los pocos días se quedó parado, al ver a Tom, que acababa de ser nombrado capataz.

El nombrado por él, había sido despedido por la muchacha.

Esto empeoraba mucho todas las cosas y hacía más difícil llevar a cabo lo que había pensado últimamente.

Quería llevarse una buena partida de reses, metiéndolas en primer lugar en el rancho de un amigo.

La presencia de Tom no lo haría posible y si se descubría que intentaba hacer eso, le matarían.

Los vaqueros a quienes empezó a hablar con afecto, se dieron cuenta de que buscaba algo en ellos.

No estaban dispuestos a hacer nada, sobre todo sabiendo que el sheriff y los rurales estaban al lado de la muchacha.

En la ciudad, todo eran preparativos para las fiestas.

En la imprenta se confeccionaron los carteles anunciadores.

Había un gran odio hacia Eugene en un grupo de ganaderos, pero sabían tener mucha paciencia.

Sin embargo, seguían con la gran obsesión del análisis de la muestra conseguida en el rancho de los Nolan.

Sabían que con la ayuda de Eugene, las mujeres del mismo, no tendrían necesidad de vender. Pero había que hacerles una buena oferta.

Pero como el miedo a la presencia de Frederic en la ciudad había pasado, no existía razón alguna para que ellas desearan salir de allí. Y en estas condiciones, era muy difícil que accedieran a vender.

Las reses llevadas por Eugene suponían un revivir del rancho.

Y la ayuda que Joe prestaba a los Nolan también impedía los propósitos de quienes soñaban con la posibilidad de hallar allí la riqueza que hacía de Dallas una ciudad de las más importantes.

A la ciudad empezaron a llegar forasteros, invadiendo los locales de diversión.

El de Maud era de los más concurridos.

Hoteles y restaurantes estaban a las horas de la comida llenos a rebosar.

Empezaban a ser famosas estas fiestas.

Lo que más forasteros atraía eran las carreras de caballos... Y eso que no pasaban de los cien dólares el premio al ganador.

El día antes de dar comienzo las fiestas, apareció muerto el sheriff de dos disparos en la espalda. Le mataron cuando regresaba de su pequeño rancho.

Thorn y sus hombres se movieron sin el menor éxito. Nadie sabía nada ni habían visto a una sola persona.

Lo hicieron sin duda al caer la tarde, que era cuando él salía de su rancho.

La afluencia de forasteros quitó importancia a esta muerte, pero para Maud, Eugene, Joe, y los Nolan, era una mala noticia.

También para el capitán que estaba muy enfadado, pero no podía acusar a nadie y era lo que le tenía furioso.

Fue a ver a Maud, por si ella podía darle alguna pista. Pero ella tampoco sabía nada.

Se celebró el entierro, al que acudieron la mayor parte de los vecinos, menos aquellos que no estimaron al sheriff en vida.

Joe decía al capitán:

—Debía tomar nota de los ganaderos que no acuden al entierro… Entre ellos está el matador o los asesinos.

Sonriendo, el capitán, exclamó:

—Creo que tienes razón. Tomaremos nota de los que no han acudido.

Y dio instrucciones a sus hombres.

Estos, recorrieron todos los locales y fueron anotando los nombres de los ganaderos y cowboys que estaban bebiendo mientras se celebraba el entierro.

Dos de estos ganaderos, con fama de rectos y honrados, estaban bebiendo juntos en uno de los saloons cuando los rurales entraron.

Se pusieron nerviosos, al ver las miradas de los rurales, que salieron sin beber y sin decir nada.

El dueño, que estaba con ellos y se levantaba para saludar a los rurales, se extrañó de la marcha de éstos, diciendo al sentarse:

—¡Es extraño! ¡Sólo han venido a ver quiénes están aquí...!

—Hemos debido ir al entierro —dijo uno de los

ganaderos.

—¡Comprendo...! —Dijo el dueño—. Eso es lo que están observando... Quiénes son los que no van al entierro estando en la ciudad.

Vio palidecer a los dos ganaderos, pero no comentaron nada más.

Sin embargo, pensó en la muerte del sheriff y en la forma que sucedió. Se dio cuenta que los dos estaban muy nerviosos por la visita de los rurales.

Los enviados informaron al capitán de lo que habían descubierto.

Después del entierro, fue el capitán el que hizo el recorrido.

Los dos ganaderos a quienes iban buscando, no estaban allí donde les supuso.

—A ver... ¿Han marchado Dumstan y Hullaire? —preguntó al dueño.

—Sí. Hace un rato que se fueron.

—¿Y sus cowboys?

—Deben andar por la ciudad. Entraron varios con ellos, pero marcharon a los pocos minutos, quedando aquí los rancheros.

—Es que nos ha extrañado no verles en el entierro. Parecían amigos del sheriff.

Y sin más comentarios, el capitán se marchó.

El dueño se rascaba la barbilla.

—¿Qué te pasa? —dijo una de las empleadas.

—Nada.

—Estás preocupado con la visita del capitán.

—Es verdad —confesó—. Estoy preocupado. Pero más lo estarán Hullaire y Dumstan cuando lo sepan.

—¿Ellos...? ¿Por qué?

—Creo que han hecho muy mal al no acudir al entierro del sheriff.

Joe decía al capitán más tarde:

—Tampoco acudió mister Green. Le vieron marchar a su rancho un poco antes del entierro.

—Sí. ¡Es muy interesante! —añadió el capitán.

Capítulo 7

Los rurales se movieron visitando todos los locales y hablando con los empleados de los mismos.

Como eran muchos, recorrieron todos los locales en poco tiempo.

Después del recorrido, tenían una relación de los vaqueros que habían estado la noche del crimen bebiendo y bailando.

Sabían también quiénes manejaban esa noche mucho más dinero del que era habitual en ellos. Se trataba de dos cowboys que pertenecían al equipo de Hullaire.

—Muy significativo —dijo el capitán al saberlo.

—¿Cree que han sido ellos?

—Habrá que saber de dónde sacaron el dinero que llevaban a esta altura en el mes.

—Pues dirán que el patrón les anticipó dinero

—decía el teniente con el que hablaba.

—Eso es precisamente lo que quiero que diga Hullaire. Estoy muy seguro que le han matado esos dos. Y le aseguro, teniente, que les haré hablar.

Más tarde, en casa de Maud comentó con Joe lo que habían averiguado sus hombres.

Este estuvo de acuerdo con el capitán.

—Debe estar seguro de que ha sido ese ganadero el que mandó matar al sheriff. Y lo que hay que averiguar es la causa.

—Debió enterarse el muerto de algo que no interesaba que pudiera decir.

—Eso indica que lo averiguó ese mismo día.

—Así es. De lo contrario, se lo habría dicho a los rurales, ¿no cree?

—Lo que quiere decir que hemos de enterarnos de lo que hizo el sheriff ese día.

—Exacto.

—Pondré a los muchachos a trabajar.

—Si no averiguamos nada, es lo mismo. Creo que hay que obrar como ellos.

—¿Qué quieres decir? —exclamó el capitán.

—Que ese ganadero aparecerá con dos disparos en la espalda.

—Primero hay que hacerlo con los vaqueros que debieron cometer el crimen. Será un aviso para su patrón.

—No hay que permitir que pueda escapar.

—No escapará porque mis muchachos le vigilarán estrechamente.

Seguían hablando cuando uno de los rurales entró en el saloon para decir al capitán:

—Acaban de nombrar nuevo sheriff, de una manera provisional hasta las elecciones.

—¿Es conocido?

—Se trata de un vaquero de mister Dumstan.

El capitán sonreía.

—No quieren perder el tiempo —comentó.

—Pero... ¿Es conocido de ustedes ese vaquero? —preguntó Joe.

—No creo.

—Deben averiguar de dónde ha venido y qué hizo hasta estar aquí.

—Lo mejor para ello es preguntar a su patrón —dijo el capitán.

—Buena medida —añadió Joe.

El nuevo sheriff se estaba dando a conocer en la ciudad... Iba, muy orgulloso, rodeado de algunos compañeros de equipo.

Entró en casa de Maud cuando ya se habían marchado el capitán y Joe.

Ella le miró con la mayor indiferencia.

—Maud —dijo el nuevo sheriff—, espero que seamos buenos amigos. Lo eras de mi antecesor.

—Puedes estar seguro que no dependerá de mí —replicó ella.

—Ahora es de esperar que nos invites —dijo uno de los acompañantes.

—Si me das una razón para hacerlo...

—Es el sheriff.

—Pero en esta casa es un cliente nada más. Y ha de pagar como todos.

—¿Cobrabas al otro? —dijo el de la placa.

—¿Por qué no había de hacerlo? Yo suelo pagar lo que compro. Y si lo regalara no podría hacer negocio. Tendría que cerrar, ¿no te parece?

—Pues en los otros locales no nos han cobrado —añadió el sheriff.

—Ellos sabrán lo que hacen. Aquí hay que pagar.

—Creo que no vamos a ser amigos.

—Lo siento si es así, pero tengo que defender mi negocio. Todavía no me he podido recuperar de las pérdidas que me causaran aquellos cobardes.

—Yo creo que no debes pagar —dijo uno de los acompañantes.

—¡No os serviré de beber si no pagáis!

—Sirve primero —dijo el sheriff.

Ella le miró sonriente y puso de beber.

Los acompañantes del sheriff reían.

Uno de los clientes corrió en busca del capitán.

Cuando éste entraba con el teniente y dos sargentos, decía el sheriff:

—Bueno... Es de imaginar que antes bromeabas y que estamos invitados.

—He dicho que no invito a las autoridades. Así que tendréis que pagar.

—Pero, si me han invitado en todos los demás locales...

—Es lo mismo —dijo un acompañante—. ¡No vas a cobrar!

—¡Vaya! ¿Es así cómo piensa ejercer su autoridad el nuevo sheriff?

Este, al ver al capitán, palideció.

—Estaba bromeando con ella. Claro que pensamos pagar —dijo.

Y dejó caer en el mostrador una moneda de dólar.

Los acompañantes del sheriff miraban a éste con disgusto.

Pero él les hizo señas de silencio, y una vez en la calle, dijo:

—No tenía más remedio que pagar. El capitán podría pedir al gobernador la anulación de mi nombramiento.

No sabía el que hablaba que era eso lo que ya había hecho el capitán sin decir nada a nadie.

—Es una tontería.

—No os preocupéis. Maud se arrepentirá de no habernos invitado.

La muchacha daba las gracias a Thorn por haberse presentado tan oportunamente.

—Es mucho mejor no haber tenido que discutir más con ellos. Pero estaba dispuesta a obligarles al pago aunque hubiera tenido que emplear el «Colt» —Dijo.

—No creas que te van a perdonar esto. Le has humillado y le dolerá.

—Me da lo mismo.

—Mucho cuidado con él —medió el teniente.

—Siempre que le vea entrar estaré vigilante.

—Pero no será él quien te traicione. Mandará a alguien. Ya lo verás.

El sheriff estaba muy enfadado.

Le molestaba que le hubieran obligado a pagar cuando iba con sus compañeros a los que había dicho que iba a qué les invitara Maud.

Cuando se encontraron con su patrón, dijo éste que había hecho bien en pagar... Pero supo hablar para burlarse un poco y excitar al sheriff con su deseo de venganza.

Las fiestas habían dado comienzo.

Los ejercicios que se celebraban en una explanada eran muy concurridos.

El sheriff que tenía que presidir el jurado se marchó a su cometido.

En los primeros ejercicios ganó el equipo a que pertenecía el sheriff, pero el malestar era notorio. Había sido una injusticia conceder la victoria a esos vaqueros.

Se comentaba más tarde en la ciudad.

El dueño del saloon amigo de Dumstan, le dijo:

—Lo habéis hecho mal.

—No comprendo.

—Se comenta que ha sido una injusticia vuestro triunfo. Poca autoridad va a tener ese muchacho como sheriff si sigue actuando así.

—No he intervenido en ello.

—Pero eres el dueño de ese equipo. No insistáis en los mismos errores.

—Son los que mejor lo han hecho.

—No he estado allí, pero he oído hablar a muchos, y no están de acuerdo.

—¡Qué digan lo que quieran...!

—No olvides lo que te digo... Si seguís haciendo las cosas tan mal, puede haber una estampida. Hay un gran malestar. No juegues con los cowboys.

—Te advierto que es muy peligroso enfrentarse a mi equipo.

—Bien. Veo que estáis decididos a ganar todos los ejercicios.

—Ganaremos en aquellos que creamos poder hacerlo y seremos vencedores en la mayoría de los que tomemos parte.

El que hablaba con Dumstan dejó de hacerlo, encogiéndose de hombros.

En casa de Maud se habló del triunfo injusto.

—No comprendo —decía uno— que no se hayan dado cuenta de la total parcialidad del sheriff al declarar vencedores a los que han ganado. Había por lo menos tres equipos muy superiores a ése.

—Es que el sheriff trabajaba hasta hace muy poco con ellos.

—En ese caso, se comprende.

Pero corrió la noticia entre los forasteros.

Los que fueron declarados vencedores entraban provocativos en todos los locales que visitaron. Y afirmaron que al día siguiente iban a ganar también.

Pero al otro día, cuando el sheriff llegó a la mesa del jurado, le dijeron:

—Sheriff... Hemos nombrado un jurado entre los curiosos. Usted debe presenciar el ejercicio. Hoy no hará lo que ayer.

Se dio cuenta el sheriff que había varias manos descansando «por casualidad» en las fundas de las armas.

—Está bien —dijo.

Estaba asustado. Y se marchó en busca de su patrón al que dijo lo ocurrido.

—No debes permitir que te quiten del jurado. Lo ha presidido siempre el sheriff.

—Estaban dispuestos a todo. Es mejor así.

—Te digo que eso es perder autoridad. ¡No has debido tolerarlo! ¡No te harás respetar si no sabes ponerte en tu sitio! Pueden acompañarte algunos de los muchachos.

Tanto habló su patrón que poco después volvió a la mesa del jurado, acompañado por cinco compañeros.

—Señores —dijo—, voy a presidir este jurado. Es el sheriff quien lo hace siempre y este año no va a cambiarse lo que es hábito y ley.

—Pero nosotros seremos los otros jurados... Puede presidir, pero solamente con un voto en caso de empate entre nosotros —dijo uno.

Se sentó el sheriff y sus compañeros fueron a unirse al equipo que iba a tomar parte en el lazado de reses.

Joe y las dos muchachas sabían lo que pasó con el jurado. Estaban entre los curiosos.

—No creo que ahora se atreva a dar el premio a sus compañeros si no lo merecen. Esos jurados están dispuestos a todo —dijo Joe.

Era lo mismo que estaba sintiendo el sheriff.

Y terminado el ejercicio, dieron como vencedor a un equipo que no era de la región. Eran unos forasteros.

Dumstan y sus muchachos buscaron enfadados al sheriff.

—¡No vales para llevar esa placa...! Has dejado que hagan lo que quieran. Nosotros somos los que hemos triunfado pero, sin embargo, han dado como ganador a un equipo extraño —decía el patrón.

—Patrón... Los que han ganado hoy son los mejores de cuantos han participado. Yo no podía hacer nada... No tengo más que un voto en el único caso que hubiera empate entre el resto del jurado. No puedo dar como ganador a quien quiera.

—Repito que no vales para sheriff.

—Pues no se hable más —dijo el de la placa—. Puede nombrar a otro.

Y ya se quitaba ésta cuando añadió Dumstan:

—No es eso, pero espero que mañana sepas presionar para que nuestro lanzador de cuchillos sea el que gane... Tenemos que imponernos en este condado por la fuerza y el terror... Para ello hay que demostrar que tenemos los mejores hombres en todas estas habilidades.

—Repito que no podré hacer nada. No puedo dar yo solo el ganador.

—No se preocupe, patrón —dijo uno—. Mañana

seré el que lance los cuchillos por el equipo. ¡No habrá quien se acerque a lo que yo haga!

—De todos modos, el sheriff debe estar para ayudarte.

—Tiene que decir al jurado que tenga el reloj en sus manos. Al lanzar, es muy importante el tiempo —dijo el que iba a lanzar los cuchillos.

Hablaron aún mucho sobre esto.

Joe y las muchachas estuvieron a visitar a Maud, pero dado el número de forasteros le aconsejó ésta que se llevara a las muchachas.

Y así lo hizo Joe, sin que ellas se opusieran.

En el rancho de los Nolan había tres vaqueros que admitieron para atender el ganado que Eugene les había llevado.

Estos vaqueros eran recomendados por Thorn y tanto Helen como Joe estaban muy convencidos que se trataba de unos rurales con los que la tranquilidad era mayor.

Tenían que vigilar para que no se llevaran un solo ternero. Eran vaqueros extraños a la comarca.

Fueron admitidos como si se trataran de forasteros que habían acudido a las fiestas.

El viejo Green preguntó quién les conocía.

Ninguno de los ganaderos amigos ni los cowboys de éstos, les habían visto antes.

Green hablaba con Paul Lynch, otro ganadero amigo, que decía:

—Si son forasteros que venían a las fiestas, será fácil sobornarles con una tentadora oferta. Hay que quitarles las reses.

—No se conseguirá nada mientras Eugene tenga tanto ganado. Les volverá a regalar.

—¡Tenemos que conseguir ese rancho como sea!

—Esas mujeres no venderán. Tienen que consultar primero con Frederic y él tampoco accedería.

—Cualquiera sabe lo que piensa él... Si les damos diez mil dólares por el rancho, sin ganado, es posible que vendan.

—Con reses en sus pastos no lo harían.

—Por eso he dicho que hay que quitarles las reses.

—No es sencillo. Habrá que abandonar la idea de quedarse con ese rancho. Todo se está complicando.

Pero el viejo Green no estaba de acuerdo.

Sin embargo, la negativa de sus amigos le desanimó. Al otro día, en la pradera de los ejercicios, se estaban inscribiendo los participantes.

Y de pronto, un rumor corrió en los corrillos de los curiosos.

—¡Es Frederic Nolan...! —decían.

—Sí. No hay duda. Es él —dijo uno, mirando al indicado—. No ha cambiado mucho, aunque ha crecido algo más.

La noticia de que estaba Frederic Nolan en la ciudad corrió como reguero de pólvora y todos los que habían hablado de él tenían miedo.

El viejo Green estaba con unos amigos, cerca de la mesa del jurado y se quedó como paralizado al conocer a Frederic entre los que se iban a inscribir.

El sheriff, que no conocía personalmente a Frederic, no le concedió importancia.

Pero su patrón, al retirarse Frederic de la mesa del jurado, se acercó para decirle en voz baja:

—Tienes que impedir que ése tan alto tome parte. ¿Sabes quién es?

—No.

—Frederic Nolan, el que dicen que está reclamado en muchas ciudades.

—¡En las fiestas no hay reclamaciones...! Todo queda sin efecto. Creo que me está indicando que haga algo que pueda costarme la vida... ¿Por qué no le dice usted que no puede tomar parte? Yo no le conozco.

—¡Veo que tienes miedo!

—¡Procure no repetir eso! —dijo el sheriff.

Y su patrón se separó asustado ante la expresión

de su rostro.

Pero buscó a todos los vaqueros para que hicieran saber que estaba el reclamado en la pradera. Y los muchachos se dedicaron a propagar lo que les decía el patrón.

No tardaron muchos minutos en correrse la noticia, pero a los forasteros era una cosa que no les interesaba.

Y los que eran del pueblo, al saber que estaba Frederic en la ciudad, unos se asustaron y otros buscaban al aludido para saludarle.

Frederic estaba con su hermana, Eugene y Joe. Reían entre ellos.

Los vaqueros de Dumstan seguían haciendo campaña entre los conocidos y tratando .de soliviantar a los forasteros, pero éstos no les hacían caso.

Capítulo 8

El capataz de Dumstan fue el que se enfrentó a Frederic para decir:

—¿No eres Frederic Nolan?

—Yo soy. Pero no recuerdo haberte visto antes por aquí.

—¿Te has atrevido a volver a este pueblo?

—Es el mío. ¿Por qué no iba a venir?

Frederic sonreía al decir esto.

Los testigos escuchaban curiosos.

—¡Eres un reclamado! —añadió el capataz.

—¿Quién te ha dicho eso? —preguntó Joe.

—Deja que hable conmigo. Te lo ruego —dijo Frederic—. Es interesante lo que dice. De modo que soy un reclamado. ¿Quieres decirme quién te ha informado así?

—Lo sabe toda la ciudad.

—No me has respondido. ¿Quién te ha dicho

que soy un reclamado?

—Lo dice toda la ciudad. Y el sheriff no debe dejar que tomes parte en los ejercicios.

—Sigues sin decir quién te ha dicho eso. El que te lo ha dicho, y tú, sois dos cobardes embusteros.

El capitán Thorn avanzaba, apartando a los curiosos.

—No te metas en esto —dijo Frederic—. Deja que yo lo aclare.

El capataz, al ver que era al capitán a quien hablaba Frederic con tanta confianza, se puso nervioso.

—Va a decir quién le ha dicho que soy un reclamado.

—Le haremos hablar —dijo el capitán—. Háganse cargo de él. Estando encerrado, recordará y nos dirá quién se lo ha dicho.

—No hace falta que le encerréis. Lo va a decir sin necesidad de eso, ¿verdad?

—Bueno... Es verdad que lo he oído muchas veces.

—Quiero el nombre de una persona. Esa dirá a quién se lo oyó a su vez, y así iremos llegando al final. De lo contrario, va a haber tantas colgaduras en este pueblo que se van a acordar durante años y años. ¿Con quién trabaja éste, Helen? —preguntó a su hermana.

—Es el capataz de un ganadero que vino un poco después de marcharte tú y que es muy amigo de Peter y su padre.

—¡Vaya! Parece que se va aclarando Así que es amigo de mi querido compañero de la infancia, Peter Green... ¡Muy interesante! —dijo Frederic.

El capataz vio que los rurales estaban pendientes de él.

—¡Espero que me digas quién te ha dicho que soy un reclamado!

—¡Lo dice toda la ciudad! —medió otro—. No sé por qué ha de decirte quién lo dice. Ya lo sabes. ¡Toda la ciudad!

—¡Eres un embustero! —Dijo Helen—. Solamente lo habéis dicho vosotros.

—Déjame a mí, Helen —añadió Frederic.

Y al separar a su hermana, el capataz vio la insignia de rural en el pecho de Frederic, palideciendo intensamente.

—No debes culparme... Es verdad que lo he oído decir y ahora lo están comentando entre los curiosos.

—¿Ha sido tu patrón el que te ha pedido que hablaras así? —dijo Frederic.

—También lo ha oído él...

—¿Es el que te ha dicho que hablaras de este modo?

—Sí.

—¡Buscad al patrón de este muchacho! —dijo el capitán.

Dumstan, que estaba entre los curiosos, palideció.

Había visto, cómo su capataz, que Frederic era rural. Esto era una grave complicación para él y todos sus amigos.

—No tienen que buscarme —dijo—. Estoy aquí. Pero es verdad que hemos oído decir durante mucho tiempo que estaba reclamado y que se ofrecían grandes cifras por él, vivo o muerto.

—Vamos a averiguar quién ha dicho todo eso. Porque si vosotros dos no lo recordáis, no veréis el nuevo día... ¡Podéis llevaros a los dos y ya sabéis...! Si por la mañana no han recordado nada de esta historia, les colgáis en el patio del cuartel —agregó Frederic.

Dumstan y su capataz se vieron desarmados.

El que había intervenido poco antes se creyó obligado a defender a su patrón. Cuando sacaba el «Colt», recibió un balazo en la frente.

Era Frederic el que había disparado.

Dumstan no podía sostenerse en pie... Las piernas le temblaban. Estaba seguro que se había metido en un mal asunto.

—No es delito que hayamos dicho lo que se hablaba en la ciudad... Peter me aseguró que era cierto lo de esas reclamaciones.

—Bien... —dijo Frederic—. Pueden soltarles. Ya sabemos que ha sido Peter el que inventó esa historia.

No daba crédito a la realidad. Y lo mismo pasaba al capataz. Se marcharon de allí los dos. No les interesaba ver el ejercicio.

Por el camino hasta la ciudad, iban hablando ambos.

—En buen lío nos habíamos metido —dijo el capataz—. Es un rural.

—Ya lo he visto. No comprendo cómo Peter hablaba así de él.

—No me explico que nos hayan dejado libres.

—Ni yo tampoco. He pasado más miedo que en toda mi vida.

—¡No nos han devuelto las armas!

—Eso no es problema.

Cuando entraron en el saloon del amigo, les dijo:

—¿Es que ya ha terminado el ejercicio?

—No ha empezado aún.

—¿No queréis presenciarlo?

—No estábamos en condiciones de hacerlo.

—¿Por qué? ¡Ah! Me han dicho que ha llegado Frederic Nolan.

—Ya lo sabemos. Le hemos visto y hemos estado muy cerca de la muerte.

—¿Qué ha pasado?

Le explicaron lo sucedido.

—¡No me digáis...! Así que se trata de un rural y Peter decía que era un cuatrero y atracador.

—Cuando vea a Peter lo va a pasar muy mal.

En la pradera, Frederic ganó fácilmente el ejercicio y eso que el jurado estaba con el reloj en la mano cómo había pedido su compañero al sheriff.

Este, que había oído lo que se decía de Frederic,

estaba nervioso. Había dicho que le detendría de presentarse el ganador.

Si estas palabras suyas llegaban a oídos de Frederic, tendría un grave disgusto. El que fue muerto por Frederic era de los rápidos en el «Colt».

Y sin embargo, los testigos afirmaban que la ventaja estaba de parte del muerto.

No se podía negar el triunfo clarísimo de Frederic... Había tardado mucho menos que su compañero y sin un fallo, mientras que éste falló en dos ocasiones.

Terminado el ejercicio, fue rodeado por sus compañeros del rancho que le decían que había que detener a Frederic por la muerte del amigo.

—Los testigos opinan que no hubo más ventaja que la empleada por el muerto. Así que no se le puede molestar. Además, se trata de un rural. No quiero enfrentarme a ellos. No es lo que decía Peter.

—¿Vas a dejar sin castigo esa muerte?

—No hay más remedio.

—Decías que si llegaba llevando tú esa placa le ibas a detener y colgar —dijo uno.

—Lo iba a hacer por lo que nos decía Peter que era... Pero cono no es verdad, no le voy a molestar. Nos han engañado.

—Todos sabíamos que no era verdad lo que decía Peter... Se habló así para que no pudiera venir.

—Pero ha venido y es un rural.

Cuando se reunió más tarde con su patrón, dijo éste:

—No hay duda que nos engañó Peter.

—Los muchachos están muy disgustados. Quieren que se le castigue por la muerte de Henry.

—La culpa fue de él. Trató de sorprender a los rurales. ¡Una locura!

—Celebro que piense así. Debe decírselo a ellos para que no me molesten más.

—Hablaré con los muchachos.

Y desde luego, lo hizo.

Los vaqueros, al oír a su patrón, dejaron de insistir respecto al castigo de Frederic.

Lynch y Hullaire se reunieron con Dumstan.

—¡De modo que el reclamado de que hablaba Peter ha resultado ser un rural! —dijo Lynch.

—Así es —añadió Dumstan—, y he estado muy cerca de ser encerrado. Gracias a él, no lo estoy. El capitán era partidario de lo contrario.

—Es una contrariedad que se trate de un rural. Ahora no se puede pensar en llevarse ganado de ese rancho.

—Desde luego que no debe hacerse —dijo Dumstan.

—O lo que es lo mismo... Ya hemos perdido la oportunidad de quedarnos con esa propiedad.

—Es posible que no haya petróleo en él.

—Ahora ya sería lo mismo para nosotros.

—Y lo de la Asociación tampoco podrá hacerse.

—Sí. Hemos perdido el tiempo y una gran ganadería. Lo de la fiebre de Texas nos ha dejado sin reses.

—Todo lo que hemos ganado lejos de aquí, hemos venido a enterrarlo en esta tierra a la que empiezo a odiar.

—Pues tendremos que seguir por aquí.

—No hay otro remedio por ahora —añadió Hullaire.

—Creo que la culpa de todo esto es de Peter. Quiso saciar su odio contra los Nolan y ya veis a lo que nos ha conducido.

—Es cierto pero ahora no vamos a arreglar nada protestando.

Joe, Frederic, el capitán y las muchachas fueron a casa de Maud.

Esta no hacía más que bromear con Frederic. Este agradeció a la mujer lo que había hecho en su ausencia en favor de su madre y hermana.

Douglas, que pasaba el día en casa y sólo iba por las noches a la imprenta, no sabía una palabra de la llegada de Frederic a la ciudad.

A cada movimiento que hacía, el dolor le hacía odiar a quien le puso así. Y deseaba con toda su alma poder vengarse.

Cuando esa noche llegó a la imprenta, su ayudante le dijo:

—¿Sabes quién ha llegado a la ciudad?

—¡Frederic Nolan! —exclamó Douglas.

—En efecto.

—¿No le han detenido? ¡Ah! Es verdad. Estamos en fiestas.

—¡Es teniente de rurales!

—¡No! —Dijo Douglas, dejándose caer en una silla—. ¿Es verdad eso?

—Sí.

—En buen lío me he metido. Si le dicen lo que escribí en contra de él, no habrá quien me salve.

—Debe saberlo ya porque ha estado preguntando por ti.

En ese momento se abrió la puerta que daba a la calle, y Frederic y Joe, aparecieron.

—¡No es culpa mía si me engañaron! —decía.

Y se cubría el rostro vendado.

—Y... ¿Quién le facilitó la historia que publicó? —preguntó Frederic.

—Fue Peter. Aseguraba que era verdad. Y añadía que como le conocía, le creía capaz de todo lo que había oído sobre lo que hizo por ahí.

—Usted sabía que era mentira lo que escribió. ¡Lo sabía perfectamente! —añadió Joe.

—Claro que sabía que era falso. Lo que quería era tener fama. Después se dedicaron a cobrar una cuota a cambio de anuncios... Era un robo. El saloon de Maud fue destrozado por haberse negado a pagar esa cuota —decía Frederic.

—Fue Peter y su padre... Por eso se hicieron socios. No podía negarme a la sociedad, ya que ellos trajeron la imprenta aquí... Pero no estuve de acuerdo cuando supe la verdad de esos anuncios.

—Siguió publicándolos, ¿verdad? Después de todo, eso les daba popularidad y sobre todo mucho dinero.

—¡Prepara una cuerda, Joe! Vamos a colgar a estos dos cobardes.

Douglas trató de escapar sin el menor éxito. Y los dos periodistas quedaran colgando minutos más tarde.

El padre de Peter se marchó a su rancho, dispuesto a no salir de allí hasta que Frederic no se hubiese marchado.

Los vaqueros vigilaban atentamente durante la noche y el día. El miedo invadía toda la propiedad, sin que escaparan a este fenómeno los guardianes.

Se había sabido que Frederic, conocido de la mayoría de ellos, había regresado y era teniente de rurales.

Pelear contra Frederic no era hacerlo contra el conocido vecino del pueblo del que se habían dicho tantas cosas malas. Era hacerlo, frente a una organización muy potente, que nunca dejaban de investigar y castigar.

Green veía en todos sus vaqueros el miedo que les dominaba. Y decidió abandonar el rancho para marcharse a reunirse con su hijo en Austin.

Allí tenían amigos y no era fácil que les colgaran.

De seguir en el rancho, podían disparar sobre él a distancia, a pesar de los vigilantes.

Los rancheros amigos, aquellos con quienes había planeado el ataque a los Nolan por creer que había petróleo en esos terrenos con los que se harían inmensamente ricos, como estaba sucediendo con los ganaderos de Dallas, fueron a visitarle.

Green les recibió con muchos reparos, pero pensaba que si éstos decían en el pueblo que le habían visto en el rancho, horas más tarde él se encontraría muy lejos y todo lo que ellos dijeran no le importaría, estando ya viajando. Cosa que haría nada más se marcharan los amigos.

Le estuvieron criticando todas las falsedades que habían dicho padre e hijo respecto a Frederic.

Estaban muy enfadados y Hullaire era el que más lo estaba.

—No podéis protestar ahora. Todos ustedes sabían que cuanto se dijo de Frederic no era más que una maniobra para impedir su regreso y que la familia, asustada, tratara de vender su rancho y se marchara lejos para reunirse con él. No vengan ahora haciéndose los puritanos —dijo Green.

—Es que nos vemos en una situación muy difícil. Hemos hablado mucho de éste y resulta que se presenta en la ciudad y no hay nada de cierto en lo que decíamos, sino que se trata de un rural y teniente, además.

—Eso no lo sabíamos nosotros... De haberlo sabido, hubiéramos callado.

—¿Y su hijo? —preguntó Hullaire.

—Debe estar en Austin.

—Escapó de aquí... ¿Sabía que iba a venir este muchacho?

—No. No sabía nada.

—Pero huyó.

—No. Fue a visitar unos amigos influyentes para que le nombren juez hasta que haya elecciones.

—No creo que vuelva por ahora. Y mucho menos si sabe lo sucedido.

En cuanto se marcharon los visitantes, se preparó para la huida, cosa que hizo a las pocas horas, y a caballo para que no le vieran subir al tren en la ciudad... Lo haría dos estaciones más lejos.

En la ciudad, con la muerte de los periodistas y la huida de Green, la tranquilidad fue absoluta.

El sheriff seguía en su puesto, pero su actitud no era agresiva como antes.

Frederic, que estimaba al anterior sheriff, se informó por Joe de todo lo que estaban averiguando respecto a sus posibles asesinos.

—Si sabéis que ésos han gastado más de lo que era habitual en ellos, no hay duda que cobraron por matar a ese buen hombre. Ya no debían existir.

—Nos ha contenido el capitán —dijo Joe—.

Quiere hacer las cosas de modo que se antes de matarle, digan todo lo que saben... Realmente, no hay más que sospechas. No tenemos la más pequeña prueba.

—¿Es que no es bastante prueba el que gasten más que antes?

—Prueba, ninguna —dijo Joe otra vez—. Claro que por mí ya les habría abordado, pero los rurales han tomado la investigación por su cuenta.

—Si dejamos pasar más días, resultará muy difícil —dijo Frederic.

—Habla tú con el capitán —añadió Joe—. Si le convences, entraremos en acción sin perder un minuto más.

—Hablaré con él. E iremos a encontrarnos con esos dos vaqueros.

Y en eso quedaron.

Cuando Frederic habló con el capitán, éste terminó por rendirse y dejar en libertad a los dos amigos.

Éstos, muy contentos, el día de las carreras de caballos, en la que al final Joe no se presentó, buscaron a los dos vaqueros.

Capítulo 9

—¿Cuántos ejercicios ha ganado el equipo de su patrón, sheriff? —le preguntó Joe en uno de los locales en que encontraron al de la placa.

—El primero.

—Y porque usted les dio como vencedores sin serlo —añadió Joe—. Todos se dieron cuenta y ésa fue la razón de que modificaran el jurado.

—Lo hice por creer que habían ganado.

Joe sonreía poniendo nervioso al sheriff.

—¿Qué le pasó al sheriff que había? —preguntó Frederic.

—Apareció muerto —dijo el de la placa.

—Y en seguida, sin elecciones, le nombraron a usted. Su patrón debía ser muy amigo de algún personaje, ¿verdad?

—El alcalde tenía que nombrar a alguien y decidió que fuera yo.

—Es extraño —añadió Joe.

—No pregunté la razón de hacerlo. Me nombraron, acepté y aquí estoy.

—¿Fue el precio de su «trabajo»? —dijo Frederic, mirando al sheriff.

—No comprendo.

—Me refiero a si le dieron el cargo por haber matado al anterior.

El de la placa palideció muy intensamente.

—No habla en serio, ¿verdad?

—Le estoy diciendo lo que pienso. ¿Por qué mató usted a ese hombre?

—¡No lo hice yo! ¡Puede estar seguro!

—¡Su nombramiento es muy extraño…! No es de la ciudad. No vivía en ella ni era conocido de nadie. ¿Cree que es admisible su elección en tales circunstancias?

—Posiblemente mi patrón, amigo del alcalde, le diera mi nombre.

—Y si lo hizo, fue por algo, ¿no le parece?

—No lo sé.

—¿No sería por haber matado al que llevaba antes esa placa…? Es muy posible que le asesinaran para esto.

—¡No! —gritó el sheriff al darse cuenta que todos le miraban con sospecha—. ¡No es verdad! ¡Yo no le maté!

—Si usted no lo hizo, ¿quién fue del rancho en que estaba usted?

—No lo sé. No he averiguado nada.

Frederic se echó a reír.

—¡No me diga que trató de enterarse de algo…! Le pusieron en su sitio para que no hiciera nada en ese sentido. ¿Es que han creído que somos tontos en esta tierra?

—Es verdad que no intervine en esa muerte, ni puedo imaginar quién lo ha hecho. De saberlo, habría sido castigado.

Aún le hicieron pasar mucho mal rato.

Cuando el sheriff se vio en la calle, respiraba

con tranquilidad... No esperaba salir tan bien de esa situación.

Una hora después se encontraba con su patrón al que informó de todo lo que le había sucedido con esos dos muchachos.

—No debes hacer caso —le dijo éste.

—Es fácil decirlo, pero he estado a punto de ser linchado por lo que me han dicho. La mayoría cree en estos momentos que fui el que mató al sheriff para conseguir su puesto.

—Repito que no debes hacer caso.

—La llegada de este Frederic nos va a dar muchos disgustos.

—No le hagas caso, y si es necesario, le haces comprender que eres la autoridad aquí.

—Estoy asustado. Si hace creer en la población que fui quien mató al anterior sheriff, terminarán por colgarme. Voy a abandonar este cargo. Me vuelvo al rancho.

—¡No! —Gritó el patrón—. No puedes hacer eso. Tenemos que contar con un sheriff amigo. ¡No hay razón para que dejes de serlo! Tienes que seguir de sheriff. Tú no tuviste nada que ver con la muerte del otro.

—Pero si creen lo contrario, me matarán.

—No debes tener miedo. Si hace falta, tienes a todo el equipo a tu lado.

Joe y Frederic buscaron a los dos vaqueros.

Fue Joe el que preguntó por ellos en uno de los locales donde solían ir más.

Una de las mujeres les dijo que no tardarían en llegar, ya que lo hacían a diario. Pero se cansaron de esperar y tuvieron que marcharse sin haberles visto.

A la mañana siguiente, Maud les dijo:

—No busquéis más a esos dos vaqueros. ¡Anoche aparecieron muertos en las afueras del pueblo!

—Les han matado para que no pudieran hablar. Pero ahora sabemos que en el rancho en que trabajaban está el inductor de aquel crimen.

—El dueño del rancho —dijo ella— es un tipo que no me agrada.

—¿Por qué les matarían?

—Pensaron que estábamos a punto de descubrirles. Nosotros terminaremos la obra.

Y al decir esto, Frederic endureció su mirada.

Al encontrarse Joe y Frederic, un día más tarde, con Dumstan en el saloon que había frente a la estación, dijo Frederic:

—Cuando yo me marché de aquí, el rancho que tiene ahora pertenecía a una familia que llevaba muchos años por aquí, aunque no eran texanos. Claro que usted tampoco lo es. ¿Cómo se hizo dueño de esa propiedad?

—Pagando lo que me pidieron por ella.

—¿Los Brunswick?

—Así se llamaban. Y pagué bien. No crea que les engañé. Siete mil dólares y aparte las reses, al precio a que estaban en el mercado. Puedo mostrar la escritura.

—¡Son varios los ganaderos que hay nuevos! ¿Vinieron juntos?

—No sé a qué se refiere.

—¿Estaban de acuerdo con Peter Green?

—Le hemos conocido aquí.

Le miró Frederic intrigado.

—Ha dicho «hemos»... Lo que indica que usted sabe que los otros tampoco le habían conocido antes. ¿Dónde tenían sus propiedades antes de venir aquí?

—¿Es un interrogatorio?

—Tómelo como quiera, pero responda.

—Es que no tengo por qué hacerlo.

—¿Qué marca tiene en su hierro?

—¡Una « D»! Mi apellido es Dumstan.

—¿La tiene registrada?

—¿Registrada...?

—Sí.

—No entiendo.

—Todos los hierros de los ganaderos están

registrados. Es obligación hacerlo. De ese modo, se evita que pueda haber dos marcas iguales.

—No creí que tuviera que dar cuenta a nadie. Pongo a mis reses el hierro que quiero.

—No es así. Sólo puede poner el que tenga autorizado. No había sido ranchero hasta ahora, ¿verdad?

—Repito que no tiene por qué hacerme tantas preguntas.

Frederic sonreía.

—Va a venir conmigo para que le interroguen oficialmente, acusado de cuatrero. Así, no tendrá más remedio que justificar el hierro que tiene su ganado.

—No puede detenerme... ¿Qué he hecho yo?

—Usar un hierro que no está autorizado.

—Si es preciso registrarlo, lo haré.

—¿Qué hizo antes de venir aquí? ¿Conducir ganado?

—Ahí llega el capitán Richard Thorn —dijo Joe.

Dumstan palideció al verle.

—Celebro que vengas Richard. Estoy interrogando a este ganadero que no sabía que ha de registrar su hierro —dijo Frederic.

—¿Es posible? —dijo el capitán.

—Lo ha confesado y le estaba preguntando qué hacía antes de comprar este rancho. Él cree que no tiene por qué responder.

—Veamos... Su ganado lleva una «D». Habrá que preguntar si hay alguien que use la misma marca.

—Pensaba que no tenía que consultar con nadie.

—Tiene que registrar su hierro, porque de lo contrario, se le puede considerar como un cuatrero. Son los únicos que no registran sus hierros.

—Si es obligatorio, lo registraré.

—Es lo que tiene que hacer. Pero diga, ¿qué hacía antes de venir a este pueblo?

—He sido ganadero siempre.

—¿Dónde tenía el rancho?

—Muy lejos de aquí. Por el Norte.

—¿En qué parte? Pero piense que voy a telegrafiar para comprobar lo que diga.

—No tiene razón para hacer todo esto.

—Lo que debe hacer es decir la verdad. Le costaría un disgusto muy grande si trata de engañar.

—Bueno... La verdad es que es el primer rancho que tengo.

—Sin embargo, los vaqueros los ha traído usted, ¿no es así?

—Sí.

—¿Quién le aconsejó venir a este condado?

—¿Es que no podía hacerlo?

—Parece que no le agrada responder a las preguntas que son claras.

—Ya ha demostrado que estaba mintiendo... Ha dicho que era ganadero siempre y resulta que es la primera vez que tiene un rancho. Y así ha de ser cuando no sabe que ha de registrar su hierro.

—Ignora que de dos hierros iguales, el no registrado es declarado clandestino y de uso de cuatreros.

—He dicho que lo registraré.

—Debe hacerlo cuanto antes... No te molestes en preguntar más, Frederic. Vinieron unos cuantos ganaderos por indicación de Peter... Creían que hay petróleo en tu rancho. Han estado analizando muestras que han llevado.

Dumstan se puso lívido.

—¿Es verdad eso? —decía Frederic, riendo—. Ahora se explica todo lo que hicieron con el ganado... Trataban de obligar a mi familia a abandonar el rancho... No saben qué hace años se analizó el agua del arroyo. Sin embargo, el petróleo está a muchas millas de allí. No está en las cercanías de mi casa.

La sorpresa fue apreciada por los tres amigos.

—Le sorprende después de todo lo que han hecho pensando en eso —exclamó Joe.

—La idea debió salir del usurero de Green y del cobarde de su hijo Peter. Aparte de la codicia, era una oportunidad de hacer daño a los Nolan.

Dumstan se marchó. Iba asustado todavía.

Antes de alejarse de los tres, le dijo Frederic:

—Debe decir dónde estuvo antes de llegar a este condado. Aunque no creo sea muy difícil averiguar qué hicieron los tres ganaderos tan amigos. Estoy seguro que ninguno de ustedes ha tenido rancho hasta ahora. Quizá en Dodge o Laramie sepan algo de los tres.

Por estas palabras iba asustado... Temía que los rurales averiguaran lo que a ellos no les interesaba.

Visitó a primeras horas del día siguiente a Hullaire. Este, después de oírle, dijo:

—Debes estar tranquilo. Van a investigar en las dos rutas. ¿Qué puede importarnos a nosotros que lo hagan?

—No me gusta que se preocupen de mí.

—Debes estar muy tranquilo. Nadie se acuerda de nosotros. Si no te hubieras negado a hablar, les habrías engañado.

—Confirmarían lo que les dijera.

—Pero para ello pasaría bastante tiempo y entonces dirías que no tomaste en serio el interrogatorio.

—Te aseguro que no se puede jugar con ellos.

Pero con lo que hablaron, se tranquilizó.

A partir de ese momento, la vida en Fort Worth fue tranquila.

No consiguieron averiguar nada más sobre quién ordenó el asesinato del anterior sheriff.

Y de los Green no se sabía nada.

El capataz y los vaqueros de su rancho decían que andaban de negocios en la capital. El que se encargaba del almacén que tenían en la ciudad, tampoco sabía nada de ellos.

—No vendrán hasta que no les avisen que me he marchado —decía Frederic.

—Creo tienes razón. Son tontos si creen que sólo tú puedes castigarles —añadió Joe.

—A quien han tenido siempre miedo es a mí y

a Eugene. Por nada del mundo quieren enfrentarse a los dos. Y menos desde que Eugene le dijo que si no le mataba era por dejar que lo hiciera yo.

—Debes quedarte una temporada —decía Joe.

—No puedo. Se han acabado las vacaciones que me dieron. No quiero renunciar a mi trabajo.

—También yo he de seguir mi viaje —dijo Joe.

—Vas a dar un disgusto a Helen.

—Tampoco me agrada separarme de ella. Pero volveré a buscarla.

—Me parece que te esperará muy ansiosa... Me gusta que se haya enamorado de ti. El cobarde de Peter anduvo algún tiempo tras de ella. Me lo ha dicho Maud.

—Creo que esto seguirá tranquilo... Espero que al no haber petróleo y tampoco van a poder formar la Asociación que debió planear Peter, se preocuparán de criar reses.

—Eso es ya más difícil. Lo más probable es que traten de vender las criadas por otros. Debe vigilarse lo que lleven al ferrocarril.

Cuando los dos llegaron al rancho, allí estaba Eugene con Helen.

—Me ha dicho Helen que pensáis marchar los dos. ¿Es cierto?

—He de cumplir con mi deber —dijo Frederic.

—¿Y tú...?

—Cuando pasé por aquí iba para visitar a unos parientes que me esperan hace tiempo. Frederic es el que me dijo que pasara por aquí para ver cómo estaba su familia y saludar a los amigos... Al llegar y darme cuenta de lo que pasaba, dije que venía a participar en las carreras para no despertar ninguna sospecha mientras intentaba ayudar.

Helen, nerviosa, salió del comedor.

Joe salió tras ella.

—¡Helen! —llamó.

La muchacha se detuvo, pero no volvió la cabeza.

—Tienes que escucharme... El hecho de marchar ahora, no quiere decir que no piense regresar para buscarte... Pero... Aunque no hemos hablado de esto, sé que estamos los dos igual de enamorados —explicó Joe.

Helen no volvió la cabeza para que no viera Joe sus lágrimas de alegría.

—¿No dices nada?

Y Joe, acercándose a ella, le cogió la barbilla para que le mirara.

Helen, emocionada, se abrazó a él.

Eugene, desde la puerta, exclamó:

—Menos mal que esos dos han tenido el buen sentido de hablar con claridad, pero tú, ¿cuándo te vas a decidir a decirme que estás enamorado de mí?

—Pero si lo sabes desde hace ya muchos años —decía Frederic, riendo junto a ella.

—Si no lo dices, no puedo saberlo.

—Está bien. ¡Te amo!

—¡Oh! ¡Tonto! —Exclamó, abrazándose a Frederic—. ¡Ya era hora!

—Supongo que así no os enfadaréis porque nos marchemos... Los dos tenemos algo que hacer, pero sabéis que vamos a regresar. Lo único que te pido, es que no te metas en problemas. Si pasase algo, nos lo dices y vendremos.

Como pasaron dos días sin ir por la ciudad, Maud se presentó allí.

—Me teníais muy intranquila... ¿Es que no podéis ir alguno de vosotros para que yo esté tranquila? —dijo al desmontar.

—Pensábamos ir hoy a verte.

Maud ya estaba tranquila. Fue invitada a almorzar y ella accedió encantada. Supo que los cuatro estaban enamorados y se alegró mucho.

Preguntaron si había noticias de los Green y la respuesta fue negativa.

—No vendrán mientras sepan que estás aquí, Frederic.

—Es lo que pienso —añadió éste.

Capítulo 10

Al enterarse del suceso, Maud, muy enfadada, dijo:

—¡Debieron juzgarle si es que en efecto se trataba de un cuatrero!

—No ha podido el sheriff contener a los que lo han hecho.

—¡No lo ha hecho porque son sus amigos…!

—Es verdad que no pudo contenerles, Maud.

—No lo creeré. De haberse tratado de otros vaqueros, es posible que lo creyera, pero dicen que eran los cowboys de Paul Lynch.

—Le sorprendieron en el rancho de éste cuando se iba a llevar parte del ganado.

—¿Por qué no le han traído para juzgarle?

—Veo que no se puede hablar contigo con tranquilidad.

—Es que no me dejo engañar como habéis

hecho con todos los demás.

El vaquero salió del saloon de Maud.

—No deberías hablarles así —dijo una de sus mujeres.

—Es que me molesta el engaño.

—Es posible que diga la verdad.

—Yo sé que le han matado porque han querido. Me gustaría saber las causas de ello.

—No se puede pensar siempre mal.

—De esos granujas no es posible pensar de otro modo. ¿Quién era el ahorcado?

—Nadie le conocía.

En la ciudad sólo se hablaba del muerto.

Dos días más tarde se presentaron los cuatro jóvenes en el pueblo.

Maud les dijo lo que había pasado con el forastero.

—Os digo que ha sido un crimen. Nadie conocía al muerto y aunque aseguran que le vieron con ganado en el rancho de Lynch, no lo creo... Le mataron para que no pudiera hablar.

—¿Qué hizo el sheriff con los que lincharon a ese hombre?

—¿Qué iba a hacer...? ¡Nada! Eran sus amigos —contestó Maud a la pregunta de Joe.

Frederic estaba enfadado... El hecho de haber colgado a uno sin juzgarle, era algo que el sheriff no debía tolerar.

—Se han aprovechado que no estaba el capitán por aquí... Se marchó con muchos de sus agentes —añadió Maud.

Después hablaron de la marcha de los dos.

—Yo voy hasta El Paso —dijo Joe—. Y ésta loca quiere venir conmigo.

—¿Eugene? ¿Para qué?

—No me lo ha dicho, pero tiene interés.

—¿Qué se te ha perdido allí? —dijo Maud a Eugene.

—Quiero encontrar a una persona.

—Y lo curioso es que se trata de un hombre...

—dijo Frederic, sonriendo.

—¿No estás celoso? —exclamó Maud, riendo a su vez.

—Tengo una gran confianza en ella. Estos años no han podido borrar su cariño hacia mí. Y eso, a pesar de que por andar tras algo importante, no podía dar señales de vida.

—Sabe que puede confiar —dijo ella.

—¿A quién conoces en la ciudad fronteriza?

—No es allí precisamente, pero creo que está cerca. Allí me puedo informar.

—¿Conocemos a esa persona? —dijo Maud.

—¡No! No es de aquí.

—Maud, ¿sabes que van a subastar las cosas que llevaba el ahorcado? —entró diciendo un vaquero.

—No sé cuándo se va a prohibir esa costumbre —decía Frederic.

—Es cosa del enterrador. Así saca más dinero. Todos querrán tener algo de él. Dicen que da suerte —añadió el vaquero.

—No me interesa —dijo Maud.

—¿Por qué no vamos? No he visto nunca una subasta de ésas. Mi padre adquirió un día un buen caballo. Es posible que aún ande por el rancho.

—Pues el del ahorcado es un buen animal. Es lo que más interesará a todos. Está llena la escuela que es donde se va a subastar... ¡Vaya un ejemplar! Los muchachos de Lynch dicen que debe ser del rancho... Es un caballo de unos cuatro años, sin herrar aún. Parece un potro salvaje. Pero es precioso. Tiene dos manchas blancas en los cuartos traseros.

Maud, que miraba indiferente a sus amigos, vio palidecer a Eugene.

—¿Dos manchas blancas? —exclamó—. ¡Qué extraño! Vamos.

Extrañó a Maud el interés de Eugene por ese animal y se marchó con ellos.

El vaquero había dicho la verdad. Apenas si se cabía en la escuela.

El enterrador estaba tras una mesa sobre la que

estaban los objetos a subastar.

No hacía más que unos minutos que estaban allí, sin poder avanzar media yarda de la puerta, cuando se oyó una voz a su espalda que dijo:

—¡Eh, tú! ¡El caballo no se puede subastar! ¡Es del rancho!

—No le habéis reclamado hasta ahora —dijo el enterrador—. Habéis visto que puedo sacar unos dólares por él y tratáis de quitármelo.

Había un rumor de desagrado por las palabras del capataz de Lynch... Era éste el que había hablado.

—¡Nadie te quiere quitar nada, pero no vas a subastar lo que pertenece al rancho! Al fijarnos en él es cuando nos hemos dado cuenta de que es nuestro.

—¿Y le tenéis sin herrar? No se trata de un potro. Es un caballo hecho.

—Es que siempre andaba perdido por el rancho. Pero no hay duda que es nuestro.

—El sheriff ha aceptado que se subaste también el caballo. Y se va a subastar. Podéis pujar hasta quedaros con él —dijo el enterrador.

El murmullo hizo ver al capataz que era peligroso insistir.

—No puede permitir el sheriff que se subaste si pertenece al rancho.

—No tiene vuestros hierros.

—¡Ya le he dicho la causa de ello! ¡Sheriff! No debe permitir que el caballo entre en la subasta.

—Bueno... Si es vuestro, creo que no debe ser vendido.

Se armó una gran gritería.

Todos pedían que se subastara.

—Todos tenéis que comprender que si mister Lynch dice que ese caballo es suyo, no se puede vender —añadió el sheriff.

—Ha debido reclamar antes de ahora... Lo que trata es de quedarse con él sin pagar nada —dijo Eugene—. Y si ha venido catalogado para subastar, debe hacerse.

El sheriff se dio cuenta que no debía insistir.

—Podéis hacerlo —dijo Lynch que estaba allí.

Protestó el capataz, pero el griterío le asustó.

—Veamos ese caballo en primer lugar —dijo el enterrador.

Y por otra puerta, dejaron entrar al animal.

Maud estaba pendiente de Eugene... Y la vio palidecer más. Después miró a Lynch con mucho odio.

—No hay duda. Es uno de mis caballos —dijo—. ¡Cien dólares! —añadió, sonriendo.

Se hizo un silencio absoluto.

—¡Cien dólares a la una! ¿No hay quien dé más? —dijo el enterrador.

Pasados unos segundos, añadió:

—¡Cien dólares a las dos...!

—¡Trescientos! —dijo Eugene, ante el asombro de sus amigos.

Lynch dejó de sonreír.

—¿Estás loca? —exclamó.

—¡Trescientos a la una! —decía el enterrador, satisfecho.

—¡Trescientos diez! —añadió Lynch.

—¡Cuatrocientos! —exclamó Eugene.

—¡Para ti...! —Gritó Lynch—. No me vas a hacer caer en una trampa... Quieres que pague lo que valen diez caballos juntos.

—¿Sabes lo que has ofrecido? —decía Frederic, sorprendido—. Creo que tiene razón ese hombre. ¡Estás loca! Cuatrocientos dólares por un caballo semisalvaje.

El enterrador comenzó la subasta de los objetos más pequeños.

—Y ahora, un rifle hermoso, que tiene la especial circunstancia de llevar una calavera grabada a fuego en una parte de la culata.

—¡Cien dólares! —exclamó Eugene.

Nuevo asombro, pero esta vez no hubo opositor.

Eugene preguntó entonces:

—¿Es que no llevaba armas el muerto?

—Le trajeron sin ellas. Debieron quedárselas los vaqueros de Lynch.

Terminada la subasta, decía Frederic:

—¿Conocías al muerto, verdad?

Eugene no respondió.

—Voy a hacerme cargo de lo que he comprado.

—No me has respondido —añadió Frederic—. No se explica de otro modo tu manera de subir en esas dos ofertas. Y has disgustado a Lynch. Quería quedarse con el caballo.

Lynch estaba hablando con el sheriff.

—Has permitido que se subaste un caballo que es mío. Y aunque lo hayan hecho daré orden que lo lleven al rancho.

—Si lo hace, le colgarán. Dijo que podían subastarlo.

—Pero lo que han hecho es robarme ese animal que es mío.

—La joven se está haciendo cargo de él. No vaya a reclamar ahora. Los muchachos que le acompañan pueden darle un disgusto y todos los demás lo mismo.

El capataz era el que estaba más furioso.

—¡Es un magnífico animal! No ha debido dejar que le subasten —dijo a su patrón.

—Creí que nadie subiría el precio que ofrecí.

—Nadie hubiera pagado un dólar más de los cien, pero esta tonta caprichosa lo ha estropeado todo.

—Ha pagado una fortuna. No sabe lo que hace.

—¿Y dar cien dólares por un rifle que puede comprar en quince...? Lo que digo. ¡Es una caprichosa!

Eugene abrazaba al animal y le palmoteaba.

Unas lágrimas rebeldes asomaron en sus ojos. Solo se dieron cuenta los amigos.

Frederic, preocupado, se acercó a ella y le dijo:

—Conocías al muerto, ¿verdad?

—Ya te hablaré de ello... Sí que le conocía.

¡Le han asesinado...! No era un cuatrero. ¡Mataré a todos los cobardes de ese rancho! No quiero que se den cuenta que conocía al ahorcado. Tienes que disimular también tú.

—Paga y recoge el rifle.

—¡Les mataré con su rifle! —exclamó la muchacha.

El animal iba tras ella como si se le conociese.

—Ese caballo conoce a Eugene —dijo Joe.

—Sí. Ella conocía al muerto... Luego nos hablará de ello —dijo Frederic—. Coge al caballo para que no se descubra que la conoce.

Joe se hizo cargo del caballo y lo llevó lejos de la muchacha. Obedecía dócilmente, pero se volvía a mirar a Eugene.

Los que acudieron a la subasta se extendieron por los locales comentando lo que iban llamando como un capricho.

Eugene dijo que no tenía allí el dinero. Se lo daría al enterrador al día siguiente.

Este, estuvo de acuerdo y entregó el rifle a la muchacha.

Poco después, los cuatro se marcharon hasta la casa de Maud.

Lynch, con sus amigos, bromeaba por lo que había hecho pagar a la caprichosa.

—No hay duda que es un buen caballo —decía uno

—Pero, ¿crees que vale lo que ha pagado por él?

—Eso no. Es mucho dinero. ¡Demasiado!

—Trataba de hacerme pujar a mí para que pagara mucho. No caí en la trampa.

—Y por el rifle ha pagado lo que valen media docena de ellos —exclamó otro.

—Ella no sabe lo que vale... Debí hacerle pagar quinientos dólares por el caballo. Si subo cincuenta más cae en la trampa.

—Es posible que lo hubiera dejado para usted.

—Por ese temor no subí más —dijo Lynch.

—Lo que no comprendo —decía uno de los vaqueros— es la razón de que no hayan creído que se trataba de un caballo del rancho.

—Porque no dijimos nada al principio —dijo Lynch.

—Debió seguir diciendo que lo era y no dejar que le subastaran —dijo el capataz.

—Es lo mismo. Así le ha costado una pequeña fortuna a esa caprichosa.

—De haber estado su padre aquí, no la habría dejado.

—Me parece que esa muchacha hace poco caso a su padre. Le echó del rancho antes de morir la madre.

En casa de Maud, decía Frederic a Eugene:

—Puedes hablar. ¿Quién era el muerto?

—Un gran amigo mío. Un hombre de edad, pero muy bueno. Quería ir con Joe a El Paso para buscar a su hijo. Sé que tiene un rancho por allí. Hace años que está separado de la familia. Tiempo atrás, un grupo de granujas le engañó y se vio en prisión por ellos le inculparon sin tener ninguna culpa... Hasta se hicieron pasquines con su nombre. Sin poder demostrar que era mentira, avergonzado se apartó de todo. Estaba en el rancho de mi tía... Nos hicimos muy amigos y si me habló de su pasado fue porque yo sin querer descubrí unos recortes de periódicos que guardaba. Hablaba de un atraco al Banco por el que fue condenado, porque aparecieron unos testigos que afirmaron haberle visto en la puerta del Banco, vigilando... Estos testigos eran los verdaderos atracadores. De nada le sirvió que lo dijera en el juicio, pero como el juez estaba seguro que era él quien decía verdad, sólo le condenó a dos años de prisión.

—Entonces es que Lynch le ha conocido.

—Sin duda. Y debe ser uno de los que testificaron en contra de él —dijo ella.

—O lo que es lo mismo —añadió Joe—, que son ellos los atracadores. Seguramente, eso es lo que descubrió el anterior sheriff.

—Y ya está demostrada la razón por la que pudieron comprar los ranchos que tienen ahora —exclamó Maud—. Me di cuenta que conocías al muerto porque palideciste al oír las señas del caballo.

—Le he montado centenares de veces. Es el animal más veloz y cariñoso que hay en el Oeste... Siempre me decía que me lo iba a regalar pero yo no quería aceptarlo... Ahora con su muerte, no voy a ir a buscar a su hijo... Prefiero que crea que está vivo y que le podrá ver algún día —aclaró Eugene.

—No podemos marchar sin castigar a estos cobardes —decía Frederic—. ¿Dónde se hizo el atraco?

—Los recortes del periódico eran de Santa Fe. Debió ser en esa ciudad.

—Habría que saberlo con seguridad.

—Debió ser allí... No me lo dijo él, ni yo se lo pregunté. ¡Pobre...! Venía a buscarme. Sabía que estaba yo aquí. ¡Y esos cobardes le han colgado! No saben que sé lo que pasó y que les mataré a todos.

—¡Deja que les castiguemos nosotros!

—No... He dicho que seré la que les mate con el rifle de Steve. Se me olvidó deciros que es el que me enseñó a perfeccionar mis disparos... Ahora podría con el más rápido de la Unión y lo mismo pasa con los cuchillos y el látigo.

Ninguno de los dos muchachos replicó, pero pensaban ser ellos los que castigaran a esos cobardes.

—Tengo que saber si ese Hullaire y Dumstan vinieron con Lynch —añadió Eugene.

—Llegaron con poca diferencia —dijo Maud—. Y no hay duda que pagaron bien las propiedades que tienen.

—Al comprar esos ranchos, adquirieron su tumba —dijo Eugene.

A ninguno de sus amigos les sorprendía que

hablara con esa naturalidad, porque ya la conocían.

Cuando ellos salieron del saloon y dejaron a las muchachas haciendo compras, decía Frederic:

—Te aseguro que es capaz de hacer lo que dice.

—Pero es un peligro para ella.

—¡Eugene es muy peligrosa! ¡Sus enemigos deben tener cuidado con ella! Ya sabía manejar las armas cuando se marchó de aquí... No ha debido dejar de practicar y parece que Steve la enseñó a mejorar.

—Pero, creo que nosotros...

—Estoy de acuerdo en que debemos adelantarnos aunque me asusta Eugene... Se enfadaría para siempre con nosotros.

—Todo es preferible a que sea ella la que se enfrente a esos bandidos. Demasiados para una persona sola

Frederic, quedó pensativo. Luego dijo:

—No debemos ayudarla, ni no nos lo pide ella. Sabrá hacerlo.

—De todas maneras, entiendo que debemos actuar nosotros.

—Espera a ver qué pasa en estos primeros días.

Joe terminó por encogerse de hombros. Pero esto indicaba que habría de retrasar su viaje a El Paso.

Pero cómo la joven parecía más calmada, Frederic y Joe, se marcharon.

Capítulo Final

—¡Sheriff! ¡Hay que encontrar a quien ha matado a esos dos vaqueros!

—Si nadie ha visto nada, es difícil. Alguien que ha discutido con ellos sobre asuntos del juego. Los dos eran aficionados a jugar.

—He visitado los locales en que estuvieron. Nadie sospecha de los que jugaron con ellos. No ganaron, así que no puede ser venganza por pérdidas.

—Es extraño, desde luego.

—Tiene que hacer averiguaciones.

—Haré preguntas.

—No pierdas tiempo —decía Lynch.

Se comentaba en la ciudad estas dos muertes.

Maud sonreía ya que para ella no había secreto ni misterio.

El sheriff visitó los locales a que solían ir los

muertos, pero no encontró la menor pista que le condujera al autor o autores.

El capataz fue a visitarle poco antes del entierro.

—¿No has averiguado nada? —preguntó.

—No.

—Pues tienen que aparecer los que les mataron.

Y pasaron dos días, sin que hubiera más muertos que los dos vaqueros de Dumstan que habían aparecido colgados.

Eugene quería confiarles más y esperó, para seguir su venganza, unos días más.

Completamente confiados se iban olvidando de aquellos muertos.

La ciudad quedó sorprendida del regreso de los Green... Esto indicaba que estaban informados de lo que pasaba en ella.

Peter se presentó en el local de Maud y entró sonriendo.

—¡Ya has vuelto! —exclamó ella—. ¿Quién te ha dicho que se marchó Frederic?

—¿Es que crees que me marché por él? —dijo Peter.

—No es que lo crea. Estoy segura —dijo ella—. Viene destinado aquí dentro de poco. De modo que era un cuatrero. ¿No es eso lo que decías?

—Yo no lo dije.

—Frederic ha resultado ser un teniente de rurales. ¡Vaya error el tuyo!

—No sabíamos nada de ello. Y como decían...

—¡Todos sabemos que fuiste tú el que inventó esa historia...! Lo dijeron tus buenos amigos, Dumstan y el capataz.

—Pero no fui yo el que la invento.

—Es posible que Frederic te crea.

—Si piensas que me vas a asustar te equivocas.

—¡Vaya! ¡Vaya! —decía Eugene, entrando—. ¡Si ha regresado el cobarde de Peter!

Se volvió éste con rapidez por creer que iría alguno de los dos muchachos con ella. Se tranquilizó al comprobar que iba sola.

—Procura no hablar así —dijo.

—¿Es que no eres un cobarde? Has venido al saber que no está Frederic aquí, pero te has olvidado de mí.

—¡He dicho que no me hables así, o no respondo!

—¡Pero si no se te puede llamar de otro modo...!

—Será mejor que me vaya o perderé la paciencia.

—Me gustaría que lo hicieras para vaciar tus ojos con plomo.

Peter salió para no seguir discutiendo. Iba muy asustado.

El padre de éste visitó también a Maud por la tarde. Ella le miró, sorprendida.

—¡Maud! Ya sé que has hablado de nosotros cuando no estábamos aquí.

—¿Por qué se marcharon los dos? ¿Miedo a Frederic? Pero él vuelve muy pronto.

—No me importa que venga destinado a esta ciudad.

—Mire —dijo ella, mirando por la ventana—. Ahí viene. Es mejor que se lo diga a él.

Green corrió para meterse en las habitaciones de Maud.

—¡Eh! ¿Adónde va?

—¡Tienes que esconderme! No debéis hacer caso de lo que yo diga. ¡Soy un viejo que no pienso a veces!

Y se metió en sus habitaciones.

Pasados unos minutos, Maud le llamó.

Temblando salió Green para marcharse rápidamente a su almacén.

Más tarde se enteró de que lo que Maud le había dicho había sido para asustarle. Muy furioso porque pensaba en lo que debieron reírse de él, mandó llamar a unos vaqueros.

El destrozo que hicieron en el local fue de gran importancia.

Maud, por estar en el rancho de Eugene, se libró de la paliza que iban a darle.

Al otro día, Maud dirigía los trabajos de restauración.

Por la noche, los vaqueros volvieron para darle la paliza que Maud evitó al no estar la noche anterior.

Eugene hablaba con Maud. Cómo suponían que volverían, les estaban esperando.

—¡Ya están ahí esos cobardes! —dijo Maud, cogiendo el «Colt» que tenía muy cerca de la mano.

Eugene miró a los cinco.

—¿Qué ha pasado aquí? —decía riendo uno de los vaqueros de Green.

—Cinco cobardes que anoche estuvieron aquí —dijo Eugene.

—¿Habéis visto cómo habla?

—Esta noche no podréis hacer lo mismo.

—¿Quién lo va a evitar?

—¡Yo! —dijo Maud, con firmeza.

—Os vamos a dar una paliza en espera de que acudan esos dos amigos vuestros.

Las armas de las dos mujeres trepidaron con rapidez.

Los clientes las miraban sorprendidos.

Fueron muchos los curiosos que fueron a contemplar los muertos.

Un jinete voló hacia el rancho de Green para informarle de todo lo que pasaba en la ciudad.

El viejo palideció y el hijo se puso lívido.

—¡No es posible que ellas hayan matado a los cinco! —decía el viejo.

Corrieron a comunicárselo al sheriff.

—¿Seguro que han sido ellas? —dijo el de la placa.

—Sí.

—Creo que tendré que detener a las dos.

Y el sheriff se marchó hacia la casa de Maud.

—¡Pasa, cobarde, pasa! —dijo Maud.

El sheriff miraba a los testigos que estaban pendientes de él.

Se quedó junto a la puerta.

—¡Puede entrar! —Dijo Eugene—. ¿Qué le ha

dicho su amo?

—Habéis matado a cinco y eso...

—Pero falta uno con una placa en el pecho.

El sheriff, ya tarde, se daba cuenta que estaba en una situación muy difícil.

—No hablas en serio, porque...

—He dicho que le voy a matar, cobarde. ¡Defiéndete!

El sheriff intentó ir a sus armas. Pero la muchacha cumplió la palabra.

Fue llevado el cadáver hasta la puerta del almacén de Green.

La noticia, al extenderse por la ciudad, provocó los más variados comentarios.

Bastante más tarde llegaba otro jinete al rancho.

—Supongo que vienes a decir que el sheriff ha detenido a esas dos locas.

—Lo que vengo a decir es que Eugene ha matado al sheriff, sin la menor ventaja y advirtiéndole que iba a hacerlo. ¡Hay que tener cuidado con ella!

Green estaba temblando y eso que se consideraba seguro en el rancho.

Como un loco gritaba llamando a su hijo y le decía lo que acababa de oír.

—Es lo que has logrado con lo que hicieron en casa de Maud —decía el hijo.

—Voy a matar a esas dos.

—Es precisamente lo que quieren. ¡Que vayas a buscarlas!

Por fin reaccionó el viejo y se quedó en el rancho.

A mediodía llegaban los amigos a decirle que su almacén fue incendiado y que no pudo salvarse nada de él.

—Pero debéis estar tranquilos —decía Hullaire—. Esta noche serán castigadas.

Pero las dos mujeres esperaban una cosa así y antes de llegar la noche, estaban muy bien situadas cada una de ellas en un observatorio, vigilando.

No tuvieron mucha paciencia los enviados de

los tres ganaderos.

A la hora de haber anochecido, un grupo de jinetes desmontaba ante el saloon.

Pero dos rifles dispararon con rapidez. Los ocho jinetes estaban al pie de los caballos, sin vida.

Los ganaderos sintieron miedo al recibir la noticia. Poco después, todos palidecieron al ver entrar a Eugene con el rifle en la mano.

Con el dedo en el gatillo, se dirigió hacia ellos.

—¡Hola, cobarde! —Dijo a Lynch—. ¿Esperas noticias de tus hombres?

—No sé qué quieres decir...

—Lo sabes perfectamente. ¿Te han avisado de lo sucedido?

—Yo no les envié para que incendiasen el local.

—¡Vaya! Veo que sabías a lo que iban.

—Repito que no sé nada.

—¿Por qué ahorcaste a Steve Queen...? Te diste cuanta de quien era y que te podía descubrir, ¿verdad? ¡Confiesa...!

Lynch retrocedió. Ahora su pánico era superior.

—Yo no le vi... Fueron Green, Hullaire, y Dumstan los que hicieron el atraco. Green le descubrió cuando pasaba por su rancho... Yo no quería que le matasen... ¡Tienes que creerme...!

—¡Asesino! ¡Defiéndete!

Lo intentó pero no pudo hacer nada... Sin mover el rifle de cómo lo llevaba, Eugene disparó una sola vez.

Y la frente de Lynch desapareció por la fuerza del impacto a tan corta distancia.

—¡Que no salga nadie! —dijo Eugene.

Mandó retirar un poco el cadáver.

Dejó el rifle apoyado en el mostrador y pidió de beber.

No tardaron en entrar Hullaire y Dumstan.

Los dos se quedaron sorprendidos al ver a la muchacha, que les sonreía.

—¿Buscáis a Lynch? —preguntó—. Ha encargado que no tardéis en reuniros con él. Ha confesado que asesinó a Steve Queen, para evitar que hablara del atraco que hicisteis en Santa Fe.

—El atraco lo hizo Queen y por eso le condenaron...

Mientras hablaba, los dos iban a sus armas.

—¡Cobardes! ¡Cobardes...! —decía Eugene, al disparar.

Y salió del local dejando admirados a los clientes.

Green y su hijo, al otro día, fueron informados de los hechos de la noche anterior. Los dos se miraban aterrados.

—¡Hay que huir! Esa loca nos matará si no lo hacemos —decía Peter.

Pero ninguno de los dos escapó de las balas de Eugene.

Poco después, volvió Frederic, y la joven le contó todo lo sucedido en su ausencia.

—Con la muerte de los Green consideré que era suficiente. Mi padre, aterrado, escapó del rancho... Sin duda pensaba hacer alguna maldad, pero al saber lo que yo había hecho, temió que le matara también a él y salió huyendo.

—Han venido unos periodistas para hacerte unas preguntas —dijo Frederic.

—¡No quiero verles! Simplemente maté a los que lo merecían.

Los periodistas a pesar de la negativa de la joven, fueron preguntando por todos los locales. Completaron la historia y fue publicada.

Eugene ya no era solo heroína en su ciudad. También lo era en toda la Unión.

FIN

¡Visite LADYVALKYRIE.COM
para ver todas nuestras publicaciones!

¡Visite COLECCIONOESTE.COM
para ver todas nuestras novelas del Oeste!